明萬曆朝鮮内醫院活字本《素問》

（中）

主　編◎錢超塵
副主編◎王育林　劉　陽

北京科学技术出版社

《黄帝内經》版本通鑒·第一輯

明萬曆朝鮮内醫院活字本《素問》（中）

黄帝素問 五

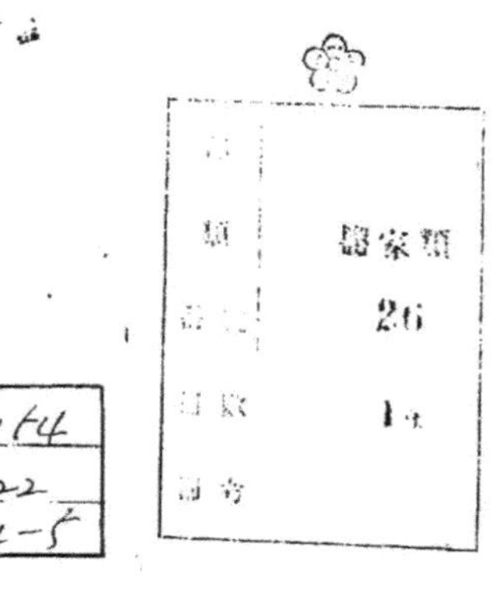

補註釋文黃帝內經素問卷之五

○熱論篇第三十一

新校正云按全元起本在第五卷

黃帝問曰今夫熱病者皆傷寒之類也或愈或死其死皆以六七日之間其愈皆以十日已上者何也不知其解願聞其故

寒者冬氣也冬時嚴寒萬類深藏君子固密不傷於寒觸冒之者乃名傷寒其傷於四時之氣者皆能為病以傷寒為毒者最乘殺厲之氣中而即病名曰傷寒不即病者寒毒藏於肌膚至夏至前變為溫病夏至後變為熱病然其發起皆為傷寒致之故曰熱病者皆傷寒之類也○新校正云按傷寒論云至春變為溫病至夏變為暑病與王註異王註本

素問爲說傷寒論本陰陽大論爲說故此不同

岐伯對曰巨陽者諸陽之屬也

巨大也大陽之氣經絡氣血榮衛於身故諸陽氣皆所宗屬

其脉連於風府

風府穴名也在項上入髮際同身寸之一寸宛宛中是

故爲諸陽主氣也

足大陽脉浮氣之在頭中者凡五行故統主諸陽之氣

人之傷於寒也則爲病熱熱雖甚不死

寒毒薄於肌膚陽氣不得散發而內怫結故傷寒者反爲病熱

其兩感於寒而病者必不免於死

藏府相應兩俱受寒謂之兩感

帝曰願聞其狀

謂非兩感者之形證

岐伯曰傷寒一日巨陽受之

三陽之氣大陽脉浮脉浮者外在於皮毛故傷寒一日大陽先受之

故頭項痛腰脊強

上文云其脉連於風府略言也細而言之者足大陽脉從巔入絡腦還出別下項循肩髆內俠脊抵腰中故頭項痛腰脊強○新校正云按甲乙經及太素作頭項腰脊皆強

二日陽明受之

以陽感熱同氣相求故自大陽入陽明也

陽明主肉其脉俠鼻絡於目故身熱目疼而鼻乾不得卧也

身熱者以肉受邪胃中熱煩故不得卧餘隨脉絡之所生也

三日少陽受之少陽主膽

新校正云按全元起本膽作骨元起註云少陽者肝之表肝候筋筋會於骨是少陽之氣所榮故言主於骨甲乙經太素等並作骨

其脉循脇絡於耳故胷脇痛而耳聾三陽經絡皆受其病而未入於藏者故可汗而已

以病在表故可汗也○新校正云按全元起本藏作府元起註云傷寒之病始入皮膚之腠理漸勝於諸陽而未入府故須汗發其寒熱而散之太素亦作府

四日太陰受之

陽極而陰受也

太陰脉布胃中絡於嗌故腹滿而嗌乾五日少陰受之少陰脉貫腎絡於肺繫舌本故口燥舌乾而渴六日厥陰受之厥陰脉循陰器而絡於肝故煩滿而囊縮三陰三陽五藏六府皆受病營衛不行五藏不通則死矣

死猶澌也言精氣皆澌也是以其死皆病六七日間者此也澌息次反

其不兩感於寒者七日巨陽病衰頭痛少愈

邪氣漸退經氣漸和故少愈

八日陽明病衰身熱少愈九日少陽病衰耳聾微聞十日太陰病衰腹減如故則思飲食十一日少陰病衰渴止不滿舌乾已而嚏十二日厥陰病衰囊縱少腹微下大氣皆去病日已矣大氣謂大邪之氣也是故其愈皆病十日已上者以此也

帝曰治之奈何岐伯曰治之各通其藏脉病日衰已矣其未滿三日者可汗而已其滿三日者可泄而已此言表裏之大體也正理傷寒論曰脉大浮數病爲在表可發其汗脉細沉數病爲在裏可下之由此則雖日過多但有表證而脉大浮數猶宜發汗日數雖少即有裏證而脉細

沉數猶宜下之正應隨脉證以汗下之

帝曰熱病已愈時有所遺者何也

邪氣衰去不盡如遺之在人也

岐伯曰諸遺者熱甚而強食之故有所遺也若此者皆病已衰而熱有所藏因其穀氣相薄兩熱相合故有所遺也帝曰善治遺柰何岐伯曰視其虛實調其逆從可使必已矣

審其虛實而補寫之則必已

帝曰病熱當何禁之岐伯曰病熱少愈食肉則復多食則遺此其禁也

是所謂戒食勞也熱雖少愈猶未盡除脾胃氣虛故未能消化肉堅食駐故熱復生復謂復舊病也

帝曰其病兩感於寒者其脉應與其病形何如岐伯曰兩感於寒者病一日則巨陽與少陰俱病則頭痛口乾而煩滿新校正云按傷寒論云煩滿而渴二日則陽明與太陰俱病則腹滿身熱不欲食譫言譫言謂妄謬而不次也○新校正云按楊上善云多言也譫之閻切三日則少陽與厥陰俱病則耳聾囊縮而厥水

漿不入不知人六日死

巨陽與少陰為表裏陽明與太陰為表裏少陽與厥陰為表裏故兩感寒氣同受其邪

帝曰五藏已傷六府不通榮衛不行如是之後三日乃死何也岐伯曰陽明者十二經脉之長也其血氣盛故不知人三日其氣乃盡故死矣

以上承氣海故三日氣盡乃死

凡病傷寒而成溫者先夏至日者為病溫後夏至日者為病暑暑當與汗皆出勿止

此以熱多少盛衰而為義也陽熱未盛為寒所制故為病曰溫陽熱大盛寒不能制故為病曰暑然暑病者當與汗之令愈勿反止之令其甚也○新校正云按九病傷寒已下全

元起本在奇病論中王氏移於此楊上善云冬傷於寒輕者夏至以前發爲溫病冬傷於寒甚者夏至以後發爲暑病

○刺熱篇第三十二

新校正云按全元起本在第五卷

肝熱病者小便先黃腹痛多卧身熱

肝之脉環陰器抵少腹而上故小便不通先黃腹痛多卧也寒薄生熱身故熱焉

熱爭則狂言及驚脇滿痛手足躁不得安卧

經絡雖已受熱而神藏猶未納邪邪正相薄故云爭也餘爭同之又肝之脉從少腹上俠胃貫鬲布脇肋循喉嚨之後絡舌本故狂言脇滿痛也肝性靜而主驚駭故病則驚手足躁擾不得安卧

庚辛甚甲乙大汗氣逆則庚辛死

肝主木庚辛爲金金剋木故甚死於庚辛也甲乙爲木故大汗於甲乙

刺足厥陰少陽

厥陰肝脉少陽膽脉

其逆則頭痛員員脉引衝頭也

肝之脉自舌本循喉嚨之後上出額與督脉會於巓故頭痛員員然脉引衝於頭中也員員謂似急也

心熱病者先不樂數日乃熱

夫所以任治於物者謂心病氣入於經絡則神不安治故先不樂數日乃熱也

熱爭則卒心痛煩悶善嘔頭痛面赤無汗

心手少陰脉起於心中其支別者從心系上俠咽小腸之脉直行者循咽下鬲抵胃其支別者從缺盆循頸上頰至目外眥故卒心痛頰悶善嘔頭痛面赤也心在彼爲汗令病熱故無汗以出○新校正云按甲乙經外背作銑背主註厥論亦作銑背外當作銑

壬癸甚丙丁大汗氣逆則壬癸死心主火壬癸爲水水滅火故甚死於壬癸也丙丁爲火故大汗於丙丁氣逆之證經闕其文也

刺手少陰太陽少陰心脉太陽小腸脉

脾熱病者先頭重頰痛煩心顏青欲嘔身熱胃之脉起於鼻交頞中下循鼻外入上齒中還出俠口環脣下交承漿却循頤後下廉出

大迎循頰車上耳前過客主人循髮際至額顱故先頭重頰痛顏青也脾之脈支別者復從胃別上鬲注心中其直行者上鬲俠咽故頰心欲嘔而身熱也○新校正云按甲乙經太素云脾熱病先頭重頰痛無顏青二字

熱爭則腰痛不可用俛仰腹滿泄兩頷痛

胃之脉支別者起胃下口循腹裏下至氣街中而合以下髀氣街者腰之前故腰痛也脾之脉入腹屬脾絡胃又胃之脈自交承漿却循頤後下廉出大迎循頰車故腹滿泄而兩頷痛音胡感反

甲乙甚戊己大汗氣逆則甲乙死

脾主土甲乙為木木伐土故甚死於甲乙也戊己為土故大汗於戊己氣逆之證經所未論

刺足太陰陽明

大陰脾脉陽明胃脉□新校正云按甲乙經熱病下篇云病先頭重頰痛煩心身熱熱争則腰痛不可用俛仰腹滿兩頷痛其暴泄善飢而不欲食善噫熱中足清腹脹食不化善嘔泄有膿血苦嘔無所出先取三里後取太白章門

肺熱病者先淅然厥起毫毛惡風寒舌上黄身熱

肺主皮膚外養於毛故熱中之則先淅然惡風寒起毫毛也肺之脉起於中焦下絡大腸還循胃口今肺熱入胃胃熱上升故舌上黄而身熱

熱争則喘欬痛走胷膺背不得太息頭痛不堪汗出而寒

肺居鬲上氣主胷膺復在變動爲欬又藏氣而主呼吸背復爲胷中之府故喘欬痛走胷膺背不得息也肺之絡脉上會耳中令熱氣上熏故頭痛不堪汗出而寒

丙丁甚庚辛大汗氣逆則丙丁死

肺主金丙丁爲火火爍金故甚死於丙丁也庚辛爲金故大汗於庚辛也氣逆之證經闕未詳

刺手太陰陽明出血如大豆立已

大陰肺脉陽明大腸脉當視其絡脉盛者乃刺而出之

腎熱病者先腰痛胻痠苦渴數飲身熱

膀胱之脉從肩髆內俠脊抵腰中又腰爲腎之府故先腰痛也又腎之脉自循內踝之後上腨內出膕內廉又直行者從腎上貫肝鬲入肺中循喉嚨俠舌本故胻痠苦渴數飲身

熱痠音酸䯒户當反

熱爭則項痛而強䯒寒且痠足下熱不欲言膀胱之脉從腦出別下項又腎之脉起於小指之下斜趨足心出於然骨之下循内踝之後別入跟中以上腨内又其直行者從腎上貫肝鬲入肺中循喉嚨侠舌本故項痛而強䯒寒且痠足下熱不欲言也○新校正云按甲乙經然骨作然谷䯒音根

其逆則項痛員員澹澹然腎經循脊内俠膂上至項結于枕骨與膀胱之筋合膀胱之脉又並下于項故項痛員員然也澹澹爲似欲不定也

戊己甚壬癸大汗氣逆則戊己死腎主水戊己爲土土刑水故甚死於戊己也壬癸爲水故大汗於壬癸

刺足少陰太陽

少陰腎脉大陽膀胱脉

諸汗者至其所勝日汗出也

氣王日爲所勝王則勝邪故各當其王日汗

肝熱病者左頰先赤

肝氣合木木氣應春南面正理之則其左也

心熱病者顔先赤

心氣合火火氣炎上指象明候故候於顔顔額也

脾熱病者鼻先赤

脾氣合土土王於中鼻處面中故占鼻也

肺熱病者右頰先赤

肺氣合金金氣應秋南面正理之則其右頰也

腎熱病者頤先赤

腎氣合水候候惟潤下揣象明候故候於頤也

病雖未發見赤色者刺之名曰治未病

聖人不治已病治未病不治已亂治未亂此之謂也

熱病從部所起者至期而已

期爲大汗之日也如肝甲乙心丙丁脾戊己肺庚辛腎壬癸是爲期日也

其刺之反者三周而已

反謂反取其氣也如肝病刺脾脾病刺腎病刺心心病刺肺肺病刺肝者皆是反刺五

藏之氣也三周謂三周於三陰三陽之脉狀也又太陽病而刺寫陽明陽明病而刺寫少陽少陽病而刺寫太陰太陰病而刺寫少陰少陰病而刺寫厥陰如此是爲反取三陰三陽之脉氣也

重逆則死

先刺已反病氣流傳又反刺之是爲重逆一逆刺之尚至三周乃已况其重逆而得生耶

諸當汗者至其所勝日汗大出也

王則勝邪故各當其王日汗○新校正云按此條文註二十四字與前文重復當刪去甲乙經太素亦不重出

諸治熱病以飲之寒水乃刺之必寒衣之居止寒處身寒而止也

寒水在胃陽氣外盛故飲寒乃刺熱退則涼生故身寒而止鍼

熱病先胷脇痛手足躁刺足少陽補足太陰

此則舉正取之例然足少陽木病而瀉足少陽之木氣補足太陰之土氣者恐木傳於土也胷脇痛丘墟主之丘墟在足外踝下如前陷者中足少陽脉之所過也刺可入同身寸之五分留七呼若灸者可灸三壯熱病手足躁經無所主治之自然補足太陰之脉當於井榮取之也○新校正云詳足太陰全元起本及太素作手太陰楊上善云手太陰上屬肺從肺出腋下故胷脇痛又按靈樞經云熱病而胷脇痛手足躁取之筋間以第四鍼索筋於肝不得索之於金金肺也以此決之作手太陰者為是

病甚者為五十九刺

五十九刺者謂頭上五行行五者以越諸陽之熱逆也大杼膺俞缺盆背俞此八者以瀉

胷中之熱也氣街三里巨虛上下廉此八者以寫胃中之熱也雲門髃骨委中髓空此八者以寫四支之熱也五藏俞傍五此十者以寫五藏之熱也凡此五十九穴者皆熱之左右也故病甚則爾刺之然頭上五行者當中行謂上星顖會前頂百會後頂次兩傍謂五處承光通天絡却玉枕又次兩傍謂臨泣目窗正營承靈腦空也上星在顱上直鼻中央入髮際同身寸之一寸陷者中容豆刺可入同身寸之四分○新校正云按甲乙經四分作三分水熱穴論注亦作三分詳此注下文云刺如上星法又云刺如顖會法既有二法則當依甲乙經及水熱穴論註上星刺入三分顖會刺入四分顖會在上星後同身寸之一寸陷者刺如上星法前頂在顖會後同身寸之一寸五分骨間陷者中刺如顖會法百會在前頂後同身寸之一寸三分頂中央旋毛中陷容指督脉足太陽脉之交會刺如上星法後頂在百會後同身寸之一寸五分枕骨上刺如顖會法然是五者皆督脉氣之所

發也上星留六呼若灸者并灸五壯次兩傍穴五處在上星兩傍同身寸之一寸五分承光在五處後同身寸之一寸通天在承光後同身寸之一寸五分絡却在通天後同身寸之一寸五分玉枕在絡却後同身寸之七分然是五者並足太陽脉氣所發刺可入同身寸之三分五處通天各留七呼絡却留五呼玉枕留三呼若灸者可灸三壯○新校正云按甲乙經承光不可灸玉枕刺入二分又次兩傍臨泣在頭直目上入髮際同身寸之五分足太陽少陽陽維三脉之會目窗正營遞相去同身寸之一寸承靈腦空遞相去同身寸之一寸五分然是五者並足少陽陽維二脉之會腦空二穴刺可入同身寸之四分餘並可刺入同身寸之三分臨泣留七呼若灸者可灸五壯大杼在項第一推下兩傍相去各同身寸之一寸半陷者中督脉別絡足太陽手太陽三脉氣之會刺可入同身寸之三分留七呼若灸者可灸五壯○新校正云按甲乙經作七壯氣穴註作七壯刺瘧註熱穴

註作五壯膺俞者膺中俞也正名中府在胷
中行兩傍相去同身寸之六寸雲門下一寸
乳上三肋間動脈應手陷者中仰而取之手
足太陰脈之會刺可入同身寸之三分留五
呼若灸者可灸五壯缺盆在肩上橫骨陷者
中手陽明脈氣所發刺可入同身寸之三分
留七呼若灸者可灸三壯背俞當是風門熱
府在第二推下兩傍各同身寸之一寸半督
脈足太陽脈之會刺可入同身寸之五分留
七呼若灸者可灸五壯驗今明堂中誥圖經
不言背俞未詳何處也○新校正云按王
註水熱穴論以風門熱府為背俞又註氣穴
論以大杼為背俞此註云未詳蓋疑之也○
氣衝在腹臍下橫骨兩端鼠鼷上同身寸之
一寸動應手足陽明脈氣所發刺可入同身
寸之三分留七呼若灸者可灸五壯三里在
膝下同身寸之三寸胻外廉兩筋肉分間足
陽明脈之所入也刺可入同身寸之一寸留
七呼若灸者可灸三壯巨虛上廉足陽明與
太陽入在三里下同身寸之三寸足陽明脈

氣所發刺可入同身寸之八分若灸者可灸三壯巨虛下廉足陽明與少陽合在上廉下同身寸之三寸足陽明脉氣所發刺可入同身寸之三分若灸者可灸三壯雲門在巨骨下胷中行兩傍○新校正云按氣穴論註胷中行兩傍作俠任脉傍橫去任脉文雖異穴之處所則同相去同身寸之六寸動脉應手中府當其下同身寸之一寸雲門手大陰脉氣所發舉臂取之刺可入同身寸之七分若灸者可灸五壯驗令明堂中誥圖經不載髃骨穴舁其穴以寫四支之熱恐是肩髃穴穴在肩端兩骨間手陽明蹻脉之會刺可入同身寸之六分留六呼若灸者可灸三壯委中在足膝後屈處膕中央約文中動脉○新校正云詳委中穴與氣穴註骨空註刺瘧論註并此王氏四處註之彼此註無足膝後屈處五字與此註異者非實有異盖註有詳略兩○足太陽脉之所入也刺可入同身寸之五分留七呼若灸者可灸三壯隨空者正名腰俞在脊中第二十一推節下閭督脉氣所發

刺可入同身寸之一分○新校正云按甲乙經作二寸水熱穴論註亦作二寸氣府論註骨空論註作一分○留七呼若灸者可灸三壯五藏俞傍五者謂魄戶神堂魂門意舍志室五穴也在俠脊兩傍各相去同身寸之三寸並足太陽脈氣所發也魄戶在第三推下兩傍正坐取之刺可入同身寸之五分若灸者可灸五壯神堂在第五推下兩傍刺可入同身寸之三分若灸者可灸五壯魂門在第九推下兩傍正坐取之刺可入同身寸之五分若灸者可灸三壯意舍在十一推下兩傍正坐取之刺可入同身寸之五分若灸者可灸三壯志室在十四推下兩傍正坐取之刺可入同身寸之五分若灸者可灸三壯是所謂此經之五十九刺法也若鍼經所指五十九刺則殊與此經不同雖俱治熱病之要穴然合用之理全向背猶當以病候形證所應經法即隨所證而刺之

熱病始手臂痛者刺手陽明太陰而汗出止

手臂痛列缺主之列缺者手太陰之絡去腕上同身寸之一寸半別走陽明者也刺可入同身寸之三分留三呼若灸者可灸五壯欲出汗商陽主之商陽者手陽明脉之井在手大指次指内側去爪甲角如韭葉手陽明脉之所出也刺可入同身寸之一分若灸者可灸一壯

熱病始於頭首者刺項太陽而汗出止

天柱主之天柱在俠項後髮際大筋外廉陷者中足太陽脉氣所發刺可入同身寸之二分留六呼若灸者可灸三壯

熱病始於足脛者刺足陽明而汗出止

新校正云按此條素問本無太素亦無今按甲乙經添入

熱病先身重骨痛耳聾好瞑刺足少陰

據經無正主穴當補寫井滎爾○新校正云按靈樞經云熱病而身重骨痛耳聾而好瞑取之骨以第四鍼索骨于腎不得索之土土脾也

病甚爲五十九刺如古法

熱病先眩冒而熱胷脇滿刺足少陰少陽亦井滎也

太陽之脉色榮顴骨熱病也榮飾也謂赤色見於顴骨如榮飾也顴骨謂目下當外眥也大陽合火故見色赤○新校正云按楊上善云赤色榮顴者骨熱病也與王氏註不同

榮未交

新校正云按甲乙經太素作榮未夭下文榮未交亦作夭

曰今且得汗待時而已

榮一爲營字之誤也曰者引古經法之端由也言色雖明盛但陰陽之氣不交錯者故法云今且得汗之而已待時者謂肝病待甲乙心病待丙丁脾病待戊己肺病待庚辛腎病待壬癸是謂待時而已所謂交者是次如下句

與厥陰脉爭見者死期不過三日

外見太陽之赤色內應厥陰之弦脉然太陽受病當傳入陽明今又厥陰之脉來見者是土敗而木賊之也故死然土氣已敗木復狂行木主數三故期不過三日

其熱病內連腎少陽之脉色也

病或爲氣恐字誤也若赤色氣內連鼻兩傍者是少陽之脉色非厥陰色何者腎部近於

鼻也○新校正云詳或者欲[illegible]腎作鼻按甲乙經太素並作腎楊上善云太陽水也厥陰木也水以生木木盛水衰故太陽水色見時有木争見者水死以其熱病内連於腎腎爲熱傷故死舊本無少陽之脉色也六字乃王氏所添王註非當從上善之義

少陽之脉色榮頰前熱病也

頰前即顴骨下近鼻兩傍也○新校正云按甲乙經太素前字作筋楊上善云足少陽部在頰赤色榮之即知筋熱病也

榮未交曰今且得汗待時而已與少陰脉争見者死期不過三日

少陽受病當傳入於太陰今反少陰少陰脉來見亦土敗而木賊之也故死不過三日亦木之數然○新校正云詳或者欲改少陰作厥陰按甲乙經太素作少陰楊上善云少陽

爲木少陰爲水少陽色見之時有少陰爭見者是毋勝子故木死王作此註亦非舊本及甲乙經太素並無死期不過三日六字此是王氏足成此文也

熱病氣穴三椎下間主胸中熱四椎下間主鬲中熱五椎下間主肝熱六椎下間主脾熱七椎下間主腎熱榮在骶也

脊節之謂椎脊窮之謂骶言腎熱之氣外通尾骶也尋此文椎間所主神藏之熱又不正當其藏俞而云主療在理未詳

項上三椎陷者中也

此舉數脊之大法也言三椎下間主胸中熱者何以數之言皆當以陷者中爲氣發之所也

頰下逆顴爲大瘕下牙車爲腹滿顴後爲脇痛頰上者鬲上也

此所以候面部之色發明腹中之病診

○評熱病論篇第三十三

新校正云按全元起本在第五卷

黄帝問曰有病温者汗出輒復熱而脉躁疾不爲汗衰狂言不能食病名爲何岐伯對曰病名陰陽交交者死也

交謂交合陰陽之氣不分别也

帝曰願聞其説岐伯曰人所以汗出者皆生於

穀穀生於精

言穀氣化爲精，精氣勝乃爲汗

今邪氣交爭於骨肉而得汗者是邪却而精勝也

言初汗也

精勝則當能食而不復熱復熱者邪氣也汗者精氣也今汗出而輒復熱者是邪勝也不能食者精無俾也

無俾言無可使爲汗也穀不化則精不生精不化流故無可使

病而留者其壽可立而傾也

如是者若汗出疾速留著而不去則其人壽命立致傾危也〇新校正云詳病而留者按王注病當作疾又按甲乙經作而熱留者

且夫熱論曰汗出而脉尚躁盛者死

熱論謂上古熱論也凡汗後脉當遲靜而反躁急以盛滿者是真氣竭而邪盛故知必死也

今脉不與汗相應此不勝其病也其死明矣

脉不靜而躁盛是不相應

狂言者是失志失志者死

志舍於精今精無可使是志無所居志不留居則失志也

今見三死不見一生雖愈必死也

汗出脉躁盛一死不勝其病二死狂言失志者三死也

帝曰有病身熱汗出煩滿煩滿不為汗解此為何病岐伯曰汗出而身熱者風也汗出而煩滿不解者厥也病名曰風厥帝曰願卒聞之岐伯曰巨陽主氣故先受邪少陰與其為表裏也得熱則上從之從之則厥也

上從之謂少陰隨從於太陽而上也

帝曰治之柰何岐伯曰表裏刺之飲之服湯

謂寫大陽補少陰也飲之湯者謂止逆上之腎氣也

帝曰勞風為病何如岐伯曰勞風法在肺下

從勞風生故曰勞風勞謂腎勞也腎脉者從腎上貫肝鬲入肺中故腎勞風生上居肺下也

其爲病也使人強上冥視

新校正云按楊上善云強上好仰也冥視謂合眼視不明也又千金方冥視作目眩

唾出若涕惡風而振寒此爲勞風之病

膀胱脉起於目内眥上額交巔上入絡腦還出別下項循肩膊内俠脊抵腰中入循膂絡腎今腎精不足外吸膀胱膀胱氣不能上營故使人頭項強而視不明也肺被風薄勞氣上熏故令唾出若鼻涕狀腎氣不足陽氣内攻勞熱相合故惡風而振寒

帝曰治之柰何岐伯曰以救俛仰

救猶止也俛仰謂屈伸也言止屈伸於動作不使勞氣滋蔓

巨陽引精者三日中年者五日不精者七日新校正云按甲乙經作三日中若五日千金方作候之三日及五日中不精明者是也與此不同

欬出青黄涕其狀如膿大如彈丸從口中若鼻中出不出則傷肺傷肺則死也巨陽者膀胱之脉也膀胱與腎爲表裏故巨陽引精也巨大也然太陽之脉吸引精氣上攻於肺者三日中年者五日素不以精氣用事者七日當欬出稠涕其色青黄如膿狀平調欬者從咽而上出於口暴卒欬者氣衝突於蓄門而出於鼻夫如是者皆腎氣勞竭肺氣内虛陽氣奔迫之所爲故不出則傷肺也肺傷則榮衛散解魄不内治故死○新校正云按王氏云卒暴欬者氣衝突於蓄門而出於鼻按難經七衝門無蓄門之名疑是賁門

楊操云賁者鬲也胃氣之所出胃出谷氣以傳於肺肺在鬲上故胃爲賁門

帝曰有病腎風者面胕痝然壅害於言可刺不

痝然腫起貌壅謂目下壅如卧蚕形也腎之脉從腎上貫肝鬲入肺中循喉嚨侠舌本故爲害於言語

痝莫江反

岐伯曰虛不當刺不當刺而刺後五日其氣必至

至謂病氣來至也然謂藏配一日而五日至腎夫腎已不足風内薄之謂腫爲實以鍼大泄反傷藏氣眞氣不足不可復故刺後五日其氣必至也

帝曰其至何如岐伯曰至必少氣時熱時熱從胷背上至頭汗出手熱口乾苦渴小便黃目下

腫腹中鳴身重難以行月事不來煩而不能食不能正偃正偃則欬病名曰風水論在刺法中刺法篇名今經亡

帝曰願聞其說岐伯曰邪之所湊其氣必虛陰虛者陽必湊之故少氣時熱而汗出也小便黃者少腹中有熱也不能正偃者胃中不和也正偃則欬甚上迫肺也諸有水氣者微腫先見於目下也帝曰何以言岐伯曰水者陰也目下亦陰也腹者至陰之所居故水在腹者必使目下腫也其氣上逆故口苦舌乾臥不得正偃正偃

則欬出清水也諸水病者故不得卧卧則驚驚則欬甚也腹中鳴者病本於胃也薄脾則煩不能食食不能下者胃脘鬲也身重難以行者胃脉在足也月事不來者胞脉閉也胞脉者屬心而絡於胞中今氣上迫肺心氣不得下通故月事不來也

考上文所釋之義未解熱從胷背上至頭汗出手熱口乾苦渴之義應古論簡脫而此差謬之爾如是者何腎少陰之脉從腎上貫肝鬲入肺中循喉嚨俠舌本又膀胱太陽之脉從目内眥上額交巔上其支者從巔至耳上角其直者從巔入絡腦還出別下項循肩髆内俠脊抵腰中入循膂今陰不足而陽有餘故熱從胷背上至頭而汗出口乾苦渴也然

心者陽藏也其脉行於臂手臂者陰藏也其脉循於臂足腎不足則心氣有餘故手熱矣又以心腎之脉俱是少陰脉也

帝曰善

○逆調論篇第三十四

新校正云按全元起本在第四卷

黃帝問曰人身非常溫也非常熱也爲之熱而煩滿者何也

異於常候故曰非常○新校正云按甲乙經無爲之熱三字

岐伯對曰陰氣少而陽氣勝故熱而煩滿也帝曰人身非衣寒也中非有寒氣也寒從中生者

何

言不知誰為元主耶

岐伯曰是人多痺氣也陽氣少陰氣多故身寒如從水中出

言自由形氣陰陽之為是非衣寒而中有寒也

帝曰人有四支熱逢風寒如炙如火者何也

新校正云按全元起本無如火二字太素云如炙於火當從太素云

岐伯曰是人者陰氣虛陽氣盛四支者陽也兩陽相得而陰氣虛少少水不能滅盛火而陽獨治獨治者不能生長也獨勝而止耳

水爲陰火爲陽今陽氣有餘陰氣不足故云少水不能滅盛火也治者王也勝者盛也故云獨勝而止

逢風而如炙如火者是人當肉爍也

爍者言消也言久久此人當肉消削也○新校正云詳如炙如火當從太素作如炙於火

帝曰人有身寒湯火不能熱厚衣不能温然不凍慄是爲何病岐伯曰是人者素腎氣勝以水爲事太陽氣衰腎脂枯不長一水不能勝兩火腎者水也而生於骨腎不生則髓不能滿故寒甚至骨也

以水爲事言盛欲也

所以不能凍慄者肝一陽也心二陽也腎孤藏也一水不能勝二火故不能凍慄病名曰骨痹是人當攣節也

腎不生則髓不滿髓不滿則筋乾縮故節攣拘

帝曰人之肉苛者雖近於衣絮猶尚苛也是謂何疾

苛謂痛重〔苛〕胡歌反

岐伯曰榮氣虛衛氣實也榮氣虛則不仁衛氣虛則不用榮衛俱虛則不仁且不用肉如故也人身與志不相有曰死

身用志不應志爲身不就兩者似不相有也○新校正云按甲乙經曰死作三十日死也

帝曰人有逆氣不得卧而息有音者有不得卧而息無音者有起居如故而息有音者有得卧行而喘者有不得卧不能行而喘者有不得卧卧而喘者皆何藏使然願聞其故岐伯曰不得卧而息有音者是陽明之逆也足三陽者下行今逆而上行故息有音也陽明者胃脉也胃者六府之海水穀海也其氣亦下行陽明逆不得從其道故不得卧也

下經曰胃不和則卧不安此之謂也

下經上古經也

夫起居如故而息有音者此肺之絡脉逆也絡脉不得隨經上下故留經而不行絡脉之病人也微故起居如故而息有音也夫不得卧卧則喘者是水氣之客也夫水者循津液而流也腎者水藏主津液主卧與喘也帝曰善

尋經所解之旨不得卧而息無音有得卧行而喘有不得卧不能行而喘此三義悉闕而未論亦古之脫簡也

○瘧論篇第三十五

新校正云按全元起本在第五卷

黄帝問曰夫痎瘧皆生於風其蓄作有時者何也

痎猶老也亦瘦也○新校正云按甲乙經云夫瘧疾者皆生於風其以日作以時發何也與此文異太素同今文楊上善云痁有云二日一發為痁瘧此經但夏傷於暑至秋為病或云痁瘧或但云瘧不必以日發間日以定痁也但應四時其形有異以為痁爾巳

岐伯對曰瘧之始發也先起於毫毛伸欠乃作寒慄鼓頷

慄謂戰慄鼓謂振動

腰脊俱痛寒去則內外皆熱頭痛如破渴欲冷

飲帝曰何氣使然願聞其道岐伯曰陰陽上下交爭虛實更作陰陽相移也

陽氣者下行極而上陰氣者上行極而下故曰陰陽上下交爭也陽虛則外寒陰虛則內熱陽盛則外熱陰盛則內寒由此寒去熱生則虛實更作陰陽之氣相移易也

陽并於陰則陰實而陽虛陽明虛則寒慄鼓頷也

陽并於陰言陽氣入於陰分也陽明胃脈也胃之脈自交承漿却分行循頤後下廉出大迎其支別者從大迎前下人迎故氣不足則惡寒戰慄而頤頷振動也

巨陽虛則腰背頭項痛

巨陽者膀胱脈其脈從頭別下項循肩髆內俠脊抵腰中故氣不足則腰背頭項痛也

音悖

三陽俱虚則陰氣勝陰氣勝則骨寒而痛寒生於内故中外皆寒陽盛則外熱陰虚則内熱外内皆熱則喘而渴故欲冷飲也

熱傷氣故内外皆熱則喘而渴

此皆得之夏傷於暑熱氣盛藏於皮膚之内腸胃之外此榮氣之所舍也

腸胃之外榮氣所主故云榮氣所舍也舍猶居也

此令人汗空踈

新校正云按全元起本作汗出空踈甲乙經太素同

腠理開因得秋氣汗出遇風及得之以浴水氣舍於皮膚之内與衛氣并居衛氣者晝日行於陽夜行於陰此氣得陽而外出得陰而内薄内外相薄是以日作

作發作也

帝曰其間日而作者何也

間日謂隔日也

岐伯曰其氣之舍深内薄於陰陽氣獨發陰邪内著陰與陽爭不得出是以間日而作也

不與衛氣相逢會故間日發也

帝曰善其作日晏與其日早者何氣使然

晏猶日暮也

岐伯曰邪氣客於風府循膂而下

風府穴名在頂上入髮際同身寸之二寸大筋内宛宛中也膂謂脊兩傍

衛氣一日一夜大會於風府其明日日下一節故其作也晏此先客於脊背也每至於風府則腠理開腠理開則邪氣入邪氣入則病作以此日作稍益晏也

節謂脊骨之節然邪氣遠則逢會遲故發暮也

其出於風府日下一節二十五日下至骶骨二

十六日入於脊內注於伏膂之脉

項已下至尾骶凡二十四節故日下一節二十五日下至尾骶骨二十六日入於脊內注於伏膂之脉也伏膂之脉者謂膂筋之間腎脉之伏行者也腎之脉循股內後廉貫脊屬腎其直行者從腎上貫肝鬲入肺中以其貫脊又不正應行穴但循膂伏行故謂之伏膂脉〇新校正云按全元起本二十五日作二十一日二十六日作二十二日甲乙經太素並同伏膂之脉甲乙經作大衝之脉巢元方作伏衝

其氣上行九日出於缺盆之中其氣日高故作日益早也

以腎脉貫脊屬腎上入肺中肺者缺盆爲之道其氣之行速故其氣上行九日出於缺盆之中

其間日發者由邪氣内薄於五藏橫連募原也其道遠其氣深其行遲不能與衛氣俱行不得皆出故間日乃作也

募原謂鬲募之原系〇新校正云按全元起本募作膜太素巢元方並同擧痛論亦作膜原

帝曰夫子言衛氣每至於風府腠理乃發發則邪氣入入則病作今衛氣日下一節其氣之發也不當風府其日作者奈何岐伯曰

新校正云按全元起本及甲乙經大素自此邪氣客於頭項至下則病作故八十八字並無

此邪氣客於頭項循膂而下者也故虛實不同邪中異所則不得當其風府也故邪中於頭項者氣至頭項而病中於背者氣至背而病中於腰脊者氣至腰脊而病中於手足者氣至手足而病

故下篇各以居邪之所而刺之

衛氣之所在與邪氣相合則病作故風無常府衛氣之所發必開其腠理邪氣之所合則其府也

虛實不同邪中異所衛邪相合病則發焉不必悉當風府而發作也○新校正云按甲乙

經巢元方則其府也作其病作

帝曰善夫風之與瘧也相似同類而風獨常在瘧得有時而休者何也

風瘧皆有盛衰故云相似同類

岐伯曰風氣留其處故常在瘧氣隨經絡沉以内薄

新校正云按甲乙經作次以内傳一

故衛氣應乃作

留謂留止隨謂隨從

帝曰瘧先寒而後熱者何也岐伯曰夏傷於大

暑其汗大出腠理開發因遇夏氣淒滄之水寒

新校正云按甲乙經太素水寒作小寒迫之

藏於腠理皮膚之中秋傷於風則病成矣

暑爲陽氣中風者陽氣受之故秋傷於風則病成矣

夫寒者陰氣也風者陽氣也先傷於寒而後傷於風故先寒而後熱也病以時作名曰寒瘧

露形觸冒則風寒傷之

帝曰先熱而後寒者何也岐伯曰此先傷於風而後傷於寒故先熱而後寒也亦以時作名曰溫瘧

以其先熱故謂之温

其但熱而不寒者陰氣先絶陽氣獨發則少氣煩寃手足熱而欲嘔名曰癉瘧

癉熱也極熱爲之也癉徒干反

帝曰夫經言有餘者寫之不足者補之今熱爲有餘寒爲不足夫瘧者之寒湯火不能温也及其熱冰水不能寒也此皆有餘不足之類當此之時良工不能止必須其自衰乃刺之其故何也願聞其說

言何暇不早使其盛極而自止乎

歧伯曰經言無刺熇熇之熱

新校正云按全元起本及太素熱作氣熇火沃反

無刺渾渾之脈無刺漉漉之汗故為其病逆未可治也

熇熇盛熱也渾渾言無端緒也漉漉言汗大出也漉音鹿

夫瘧之始發也陽氣并於陰當是之時陽虛而陰盛外無氣故先寒慄也陰氣逆極則復出之陽陽與陰復并於外則陰虛而陽實故先熱而渴

陰盛則胃寒故先寒戰慄陽盛則胃熱故先熱欲飲也

夫瘧氣者并於陽則陽勝并於陰則陰勝陰勝則寒陽勝則熱瘧者風寒之氣不常也病極則復

復謂復舊也言其氣發至極還復如舊

至

新校正云按甲乙經作瘧者風寒之暴氣不常病極則復至全元起本及太素作瘧風寒氣也不常病極則復至至守連上句與王氏之意異

病之發也如火之熱如風雨不可當也

以其盛熾故不可當也

故經言曰方其盛時必毀

新校正云按太素云勿敢必毀

因其衰也事必大昌此之謂也方正也正盛寫之或傷真氣故必毀病氣衰已補其經氣則邪氣彌退正氣安平故必大昌也

夫瘧之未發也陰未并陽陽未并陰因而調之真氣得安邪氣乃亡所寫必中所補必當故真氣得安邪氣乃亡也

故工不能治其已發爲其氣逆也真氣寢息邪氣大行真不勝邪是爲逆也

帝曰善攻之奈何早晏何如岐伯曰瘧之且發

也陰陽之且移也必從四末始也陽已傷陰從之故先其時堅束其處令邪氣不得入陰氣不得出審候見之在孫絡盛堅而血者皆取之此眞往而未得并者也言牢縛四支令氣各在其處則邪所居處必自見之既見之則刺出其血爾往猶去也○新校正云按甲乙經眞往作其往太素作直往

帝曰瘧不發其應何如岐伯曰瘧氣者必更盛更虛當氣之所在也病在陽則熱而脉躁在陰則寒而脉靜陰靜陽躁故脉亦隨之

極則陰陽俱衰衛氣相離故病得休衛氣集則復病也

相薄至極物極則反故極則陰陽俱衰

帝曰時有間二日或至數日發或渴或不渴其故何也岐伯曰其間日者邪氣與衛氣客於六府而有時相失不能相得故休數日乃作也

氣不相會故數日不能發也

瘧者陰陽更勝也或甚或不甚故或渴或不渴

陽勝陰甚則渴陽勝陰不甚則不渴也勝謂強盛於彼之氣也

帝曰論言夏傷於暑秋必病瘧

新校正云按生氣通天論并陰陽應象大論二論俱云夏傷於暑秋必痎瘧

今瘧不必應者何也

言不必皆然

岐伯曰此應四時者也其病異形者反四時也

其以秋病者寒甚

秋氣清凉陽氣下降熱藏肌肉故寒甚也

以冬病者寒不甚

冬氣嚴冽陽氣伏藏不與寒爭故寒不甚

以春病者惡風

春氣温和陽氣外泄肉腠開發故惡於風

以夏病者多汗

夏氣暑熱津液充盈外泄皮膚故多汗也

帝曰夫病溫瘧與寒瘧而皆安舍舍於何藏

安向也舍居止也藏謂五神藏也

岐伯曰溫瘧得之冬中於風寒氣藏於骨髓之中至春則陽氣大發邪氣不能自出因遇大暑腦髓爍肌肉消腠理發泄或有所用力邪氣與汗皆出此病藏於腎其氣先從內出之於外也

腎主於冬冬主骨髓腦為髓海上下相應厥熱上熏故腦髓銷爍銷爍則熱氣外薄故肌肉減削而病藏於腎也

如是者陰虚而陽盛陽盛則熱矣

陰氣謂腎藏氣虚陽盛謂膀胱太陽氣盛

衰則氣復反入入則陽虚陽虚則寒矣故先熱而後寒名曰溫瘧

衰謂病衰退也復反入謂入腎陰脉中

帝曰癉瘧何如岐伯曰癉瘧者肺素有熱氣盛於身厥逆上衝中氣實而不外泄因有所用力腠理開風寒舍於皮膚之内分肉之間而發發則陽氣盛陽氣盛而不衰則病矣其氣不及於陰

新校正云按全元起本及太素作不及之陰巢元方作不及之陰

故但熱而不寒氣内藏於心而外舍於分肉之間令人消爍脱肉故命曰癉瘧帝曰善

○刺瘧篇第三十六

新校正云按全元起本在第六卷

足太陽之瘧令人腰痛頭重寒從背起

足太陽脉從巔入絡腦還出別下項循肩髆内俠脊抵腰中其支别者從髆内左右别下貫胂過髀樞故令腰痛頭重寒從背起○新校正云按三部九候論註貫胂作貫臀刺腰痛註亦作貫臀厥論註作貫胂甲乙經作貫胂

先寒後熱熇熇暍暍然

熇熇甚熱狀暍暍亦熱盛也太陽不足故先寒寒極則生熱故後熱也熇音謞

熱止汗出難已

熱生是爲氣虛熱止則爲氣復氣復而汗反出此爲邪氣盛而眞不勝故難已○新校正云按全元起本并甲乙經太素巢元方並作先寒後熱渴渴止汗出與此文異

刺郄中出血

太陽之郄是謂金門金門在足外踝下一名日關梁陽維所别屬也刺可入同身寸之三分若灸者可灸三壯黄帝中誥圖經云委中主之則古法以委中爲郄中也委中在膕中央約文中動脉足太陽脉之所入也刺可入同身寸之五分留七呼若灸者可灸三壯○新校正云詳刺郄中甲乙經作膕中今王氏兩註之當以膕中爲正也

足少陽之瘧令人身體解㑊

身體解㑊次如下句

寒不甚熱不甚陽氣未盛故令其然

惡見人見人心惕惕然膽與肝合肝虛則其邪薄其氣故惡見人見人心惕惕然也

熱多汗出甚邪盛則熱多中風故汗出

刺足少陽俠谿主之俠谿在足小指次指岐骨間本節前陷者中少陽之滎刺可入同身寸之三分留三呼若灸者可灸三壯

足陽明之瘧令人先寒洒淅洒淅寒甚久乃熱熱去汗出喜見日月光火氣乃快然陽虛則外先寒陽虛極則復盛故寒甚久乃熱也熱去汗已陰又内強陽不勝陰故喜見日月光火氣乃快然也

刺足陽明跗上衝陽穴也在足跗上同身寸之五寸骨間動脉上去陷谷同身寸之三寸陽明之原刺可入同身寸之三分留十呼若灸者可灸三壯跗音付

足太陰之瘧令人不樂好大息心氣流於肺則喜令脾藏受病心母救之火氣下入於脾不上行於肺又大陰脉支别者復從胃上鬲注心中故令人不樂好大息也

不嗜食多寒熱汗出脾主化穀營助四傍今邪薄之諸藏無禀土寄四季王則邪氣交爭故不嗜食多寒熱而汗出○新校正云按甲乙經云多寒少熱

病至則善嘔嘔已乃衰足太陰脉入腹屬脾絡胃上鬲俠咽故病氣來至則嘔嘔已乃衰退也

即取之待病衰去即取之其言衰即取之井俞及公孫也公孫在足大指本節後同身寸之一寸太陰絡也刺可入同身寸之四分留七呼若灸者可灸三壯

足少陰之瘧令人嘔吐甚多寒熱熱多寒少足少陰脉貫肝鬲入肺中循喉嚨故嘔吐甚多寒熱也腎爲陰藏陰氣生寒今陰氣不足

故熱多寒少○新校正云按甲乙經云嘔吐甚多寒少熱也

欲閉戶牖而處其病難已

胃陽明脉病欲獨閉戶牖而處今謂胃土病證反見腎水之中土剋於水故其病難已也太鍾太谿悉主之太鍾在足內踝後街中少陰絡也刺可入同身寸之二分留七呼若灸者可灸三壯太谿在足內踝後跟骨上動脉陷者中少陰俞也刺可入同身寸之三分留七呼若灸者可灸三壯○新校正云按甲乙經云其病難已取太谿又按太鍾穴甲乙經作跟後衝中刺腰痛篇註作跟後街中動脉水穴註云在內踝後此註云內踝後街中請註不同當以甲乙經爲正

足厥陰之瘧令人腰痛少腹滿小便不利如癃狀非癃也數便意恐懼氣不足腹中悒悒

足厥陰脉循股陰入髦中環陰器抵少腹故病如是癃謂不得小便也悒悒不暢之貌○新校正云按甲乙經數便意三字作數噫二字

刺足厥陰

太衝主之在足大指本節後同身寸之二寸陷者中厥陰俞也刺可入同身寸之三分留十呼若灸者可灸三壯○新校正云按刺腰痛篇註云在本節後内間動脉應手

肺瘧者令人心寒寒甚熱熱間善驚如有所見者刺手太陰陽明

列缺主之列缺在手腕後同身寸之一寸半手太陰絡也刺可入同身寸之三分留三呼若灸者可灸五壯陽明穴合谷主之合谷在手大指次指歧骨間手陽明脉之所過也刺可入同身寸之三分留六呼若灸者可灸三壯

心瘧者令人煩心甚欲得清水反寒多不甚熱

刺手少陰

神門主之神門在掌後銳骨之端陷者中手少陰俞也刺可入同身寸之三分留七呼若灸者可灸三壯○新校正云按太素云欲得清水反寒多寒不甚熱甚

肝瘧者令人色蒼蒼然太息其狀若死者刺足

厥陰見血

中封主之中封在足內踝前同身寸之一寸半陷者中仰足而取之伸足乃得之足厥陰經也刺出血止常刺者可入同身寸之四分留七呼若灸者可灸三壯

脾瘧者令人寒腹中痛熱則腸中鳴鳴已汗出

刺足太陰

商丘主之商丘在足內踝下微前陷者中足太陰經也刺可入同身寸之三分留七呼若灸者可灸三壯

腎瘧者令人洒洒然腰脊痛宛轉大便難目眴眴然手足寒刺足太陽少陰

太谿主之取如前足少陰瘧中法

胃瘧者令人且病也善飢而不能食食而支滿腹大

胃熱脾虛故善飢而不能食食而支滿腹大也是以下文兼刺太陰○新校正云按太素且病作瘧病

刺足陽明太陰橫脉出血

厲兊解谿三里主之厲兊在足大指次指之端去爪甲如韭葉陽明井也刺可入同身寸之三分留一呼若灸者可灸一壯解谿在衝陽後同身寸之三寸半腕上陷者中陽明經也刺可入同身寸之五分留五呼若灸者可灸三壯三里在膝下同身寸之三寸胻骨外廉兩筋肉分間陽明合也刺可入同身寸之一寸留七呼若灸者可灸三壯然足陽明取此三穴足太陰刺其橫脉出血也橫脉謂足内踝前斜過大陰脉則太陰之經脉也○新按正云詳解谿在衝陽後三寸半按甲乙經一寸半氣穴論註二寸半

瘧發身方熱刺跗上動脉則陽明之脉也

開其空出其血立寒陽明之脉多血多氣熱盛氣壯故出其血而立可寒也

瘧方欲寒刺手陽明太陰足陽明太陰

亦謂開穴而出其血也當隨井俞而刺之也

瘧脉滿大急刺背俞用中鍼傍五胠俞各一適肥瘦出其血也

瘦者淺刺少出血肥者深刺多出血背俞謂大杼五胠俞謂譩譆音去魚反

瘧脉小實急灸脛少陰刺指井

灸脛少陰是謂復溜復溜在內踝上同身寸之二寸陷者中足少陰經也刺可入同身寸之三分留三呼若灸者可灸五壯刺指井謂刺至陰至陰在足小指外側去爪甲角如韭葉足太陽井也刺可入同身寸之一分留五呼若灸者可灸三壯

瘧脉滿大急刺背俞用五胠俞背俞各一適行

於血也

謂調適肥瘦穴度深淺循三備法而行鍼令至於血脉也謂大杼五胠俞謂譩譆主之○新校正云詳此條從癰脉滿大至此終文註共五十四字當從刪削經文與次前經文重復王氏隨而註之別無義例不若士安之精審不復出也

癰脉緩大虛便用藥不宜用鍼

緩者中風大爲氣實虛者血虛血虛氣實風又攻之故宜藥治以遣其邪不宜鍼寫而出血也

凡治癰先發如食頃乃可以治過之則失時也

先其發時眞邪異居波隴不起故可治過時則眞邪相合攻之則反傷眞氣故曰失時○新校正云詳從前癰脉滿大至此全元起本在第四卷中王氏移續於此也

諸瘧而脉不見刺十指間出血血去必已先視身之赤如小豆者盡取之十二瘧者其發各不同時察其病形以知其何脉之病也隨其形證而病脉可知先其發時如食頃而刺之一刺則衰二刺則知三刺則已不已刺舌下兩脉出血釋具下文不已刺郄中盛經出血又刺項已下俠脊者必已並足大陽之脉氣也郄中則委中也俠脊者謂大杼風門熱府穴也大杼在項第一椎下

兩傍相去各同身寸之一寸半陷者中刺可入同身寸之三分留七呼若灸者可灸五壯風門熱府在第七椎下兩傍各同身寸之一寸半刺可入同身寸之五分留七呼若灸者可灸五壯○新校正云詳大杼穴灸五壯按甲乙經作七壯氣穴論註作七壯刺熱及熱穴註作五壯

舌下兩脉者廉泉也廉泉穴名在頷下結喉上舌本下陰維任脉之會刺可入同身寸之三分留三呼若灸者可灸三壯

刺瘧者必先問其病之所先發者先刺之先頭痛及重者先刺頭上及兩額兩眉間出血頭上謂上星百會兩額謂懸顱兩眉間謂攢竹等穴也

先項背痛者先刺之

項風池風府主之背大杼神道主之

先腰脊痛者先刺郄中出血先手臂痛者先刺手少陰陽明十指間

新校正云按別本作手陰陽全本亦作手陰陽

先足脛痠痛者先刺足陽明十指間出血

各以邪居之所以脘寫之

風瘧瘧發則汗出惡風刺三陽經背俞之血者

三陽太陽也○新校正云按甲乙經云足三陽

胕痠痛甚按之不可名曰胕髓病以鑱鍼鍼絕

骨出血立已

陽輔穴也取如氣穴論中府俞法[illegible]洪付反鑱鋤銜反

身體小痛刺至陰

新校正云按甲乙經無至陰二字

諸陰之井無出血間日一刺

諸井皆在指端足少陰井在足心窕窕中

瘧不渴間日而作刺足太陽

新校正云按九卷云足陽明太素同

渴而間日作刺足少陽

新校正云按九卷云手少陽太素同

溫瘧汗不出爲五十九刺

自胃瘧下至此尋黃帝中誥圖經所主或有不與此文同應古之別法也

○氣厥論篇第三十七

新校正云按全元起本在第九卷與厥論相并

黃帝問曰五藏六府寒熱相移者何岐伯曰腎移寒於肝癰腫少氣

肝藏血然寒入則陽氣不散陽氣不散則血聚氣澁故爲癰腫又爲少氣也○新校正云按全元起本云腎移寒於脾元起註云腎傷於寒而傳於脾脾主肉寒生於肉則結爲堅堅化爲膿故爲癰也血傷氣少故曰少氣甲乙經亦作移寒於脾王因誤本遂解爲肝亦智者之一失也

脾移寒於肝癰腫筋攣

脾藏主肉肝藏主筋肉温則筋舒肉冷則筋急故筋攣也肉寒則衛氣結聚故為癰腫

肝移寒於心狂隔中

心為陽藏神處其中寒薄之則神亂離故狂也陽氣與寒相薄故隔塞而中不通也

心移寒於肺肺消肺消者飲一溲二死不治

心為陽藏反受諸寒寒氣不消乃移於肺寒隨心火內爍金精金受火邪故中消也然肺藏消爍氣無所持故令飲一而溲二也金火相賊故死不能治

肺移寒於腎為涌水涌水者按腹不堅水氣客於大腸疾行則鳴濯濯如囊裹漿水之病也

肺藏氣腎主水夫肺寒入腎腎氣有餘腎氣有餘則上奔於肺故云涌水也大腸為肺之

府然肺腎俱爲寒薄上下皆無所之故水氣客於大腸也腎受凝寒不能化液大腸積水而不流通故其疾行則腸鳴而濯濯有聲如囊裹漿水爲水病也○新校正云按甲乙經水之病也作治主肺者

脾移熱於肝則爲驚衄肝藏血又主驚故熱薄之則驚而鼻中血出

肝移熱於心則死兩陽和合火木相燔故肝熱入心則當死也陰陽別論曰肝之心謂之生陽生陽之屬不過四日而死○新校正云按陰陽別論之文義與此殊王氏不當引彼誤文附會此義

心移熱於肺傳爲鬲消心肺兩間中有斜鬲膜鬲膜下際內連於橫鬲膜故心熱入肺久久傳化內爲鬲熱消渴

而多飲也

肺移熱於腎傳爲柔痓

柔謂筋柔而無力痓謂骨痓而不隨氣骨皆熱髓不内充故骨痓強而不舉筋柔緩而無力也痓音熾

腎移熱於脾傳爲虛腸澼死不可治

脾土制水腎反移熱以與之是脾土不能制水而受病故久久傳爲虛損也腸澼死若腎主下焦象水而冷今乃移熱是精氣内消下焦無主以守持故腸澼除而氣不禁止

胞移熱於膀胱則癃溺血

膀胱爲津液之府胞爲受納之司故熱入膀胱胞中外熱陰絡内溢故不得小便而溺血也正理論曰熱在下焦則溺血此之謂也

膀胱移熱於小腸鬲腸不便上爲口糜

小腸脉絡心循咽下膈抵胃屬小腸故受熱以下令腸隔塞而不便上則口生瘡而糜爛也糜謂爛也糜武悲反

小腸移熱於大腸爲虙瘕爲沉

小腸熱已移入大腸兩熱相薄則血溢而爲伏瘕也血澁不利則月事沉滯而不行故云爲伏瘕爲沉也虙與伏同瘕一爲宓傳寫誤也

大腸移熱於胃善食而瘦入謂之食亦

胃爲水穀之海其氣外養肌肉熱消水穀又鑠肌肉故善食而瘦入也食亦者謂食入移易而過不生肌膚也亦易也○新校正云按甲乙經入作又王氏註云善食而瘦入也殊爲無義不若甲乙經作又讀連下文

胃移熱於膽亦曰食亦

義同上

膽移熱於腦則辛頞鼻淵鼻淵者濁涕下不止也

腦液下滲則爲濁涕涕下不止如彼水泉故曰鼻淵也頞謂鼻頞也足太陽脉起於目內皆上額交巔上入絡腦足陽明脉起於鼻交頞中傍約太陽之脉令腦熱則足太陽逆與陽明之脉俱盛薄於頞中故鼻頞辛也辛謂酸痛故下文曰

傳爲衄衊瞑目

以足陽明脉交頞中傍約太陽之脉故耳熱盛則陽絡溢陽絡溢則衄出汗血也衊謂汗血也血出甚陽明太陽脉衰不能榮養於目故目瞑瞑暗也衊莫結反

故得之氣厥也厥者氣逆也皆由氣逆而得之

○欬論篇第三十八新校正云按全元起本在第九卷

黄帝問曰肺之令人欬何也岐伯對曰五藏六府皆令人欬非獨肺也帝曰願聞其狀岐伯曰皮毛者肺之合也皮毛先受邪氣邪氣以從其合也邪謂寒氣

其寒飲食入胃從肺脉上至於肺則肺寒肺寒

則外内合邪因而客之則爲肺欬

肺脉起於中焦下絡大腸還循胃口上鬲屬肺故云從肺脉上至於肺也

五藏各以其時受病非其時各傳以與之

時謂王月也非王月則不受邪故各傳以與之

人與天地相參故五藏各以治時感於寒則受病微則爲欬甚者爲泄爲痛

寒氣微則外應皮毛内通肺故欬寒氣甚則入於内内裂則痛入於腸胃則泄痢

乘秋則肺先受邪乘春則肝先受之乘夏則心先受之乘至陰則脾先受之乘冬則腎先受之

以當用事之時故先受邪氣○新校正云按全元起本及太素無乘秋則三字疑此文誤

多也

帝曰何以異之欲明其證也

岐伯曰肺欬之狀欬而喘息有音甚則唾血肺藏氣而應息故欬則喘息而喉中有聲甚則肺絡逆故唾血也

心欬之狀欬則心痛喉中介介如梗狀甚則咽腫喉痺手心主脉起於胷中出屬心包少陰之脉起於心中出屬心系其支別者從心系上俠咽喉故病如是○新校正云按甲乙經介介如梗狀作喝喝又少陰之脉上俠咽不言俠喉

肝欬之狀欬則兩脇下痛甚則不可以轉轉則

兩胠下滿

足厥陰脉上貫鬲布胠脇循喉嚨之後故如是胠亦脇也

脾欬之狀欬則右胠下痛陰陰引肩背甚則不可以動動則欬劇

足太陰脉上貫鬲俠咽其支别者復從胃别上鬲故病如是也脾氣連肺故痛引肩背也

脾氣主右故右胠下陰陰然深慢痛也劇音極

腎欬之狀欬則腰背相引而痛甚則欬涎

足少陰脉上股内後廉貫脊屬腎絡膀胱其直行者從腎上貫肝鬲入肺中循喉嚨俠舌本又膀胱脉從肩髆内别下俠脊抵腰中入循膂絡腎故病如是

帝曰六府之欬柰何安所受病岐伯曰五藏之

以欬乃移於六府脾欬不已則胃受之胃欬之狀欬而嘔嘔甚則長蟲出脾與胃合又胃之脉循喉嚨入缺盆下鬲屬胃絡脾故脾欬不已胃受之也胃寒則嘔嘔甚則腸氣逆上故蚘出蚘音回

肝欬不已則膽受之膽欬之狀欬嘔膽汁肝與膽合又膽之脉從缺盆以下胷中貫鬲絡肝故肝欬不已膽受之也膽氣好逆故嘔溫苦汁也

肺欬不已則大腸受之大腸欬狀欬而遺失肺與大腸合又大腸脉入缺盆絡肺故肺欬不已大腸受之大腸為傳送之府故寒入則氣不禁焉○新校正云按甲乙經遺失作遺矢

內經五　四十六

心欬不已則小腸受之小腸欬狀欬而失氣氣與欬俱失

心與小腸合又小腸脉入缺盆絡心故心欬不已小腸受之小腸寒盛氣入大腸欬則小腸氣下奔故失氣也

腎欬不已則膀胱受之膀胱欬狀欬而遺溺

腎與膀胱合又膀胱脉從肩髆内俠脊抵腰中入循膂絡腎屬膀胱故腎欬不已膀胱受之膀胱爲津液之府是故遺溺

久欬不已則三焦受之三焦欬狀欬而腹滿不欲食飲此皆聚於胃關於肺使人多涕唾而面浮腫氣逆也

三焦者非謂手少陽也正謂上焦中焦耳何者上焦者出於胃上口並咽以上貫鬲布胷中走腋中焦者亦至於胃口出上焦之後此所受氣者泌糟粕蒸津液化其精微上注於肺脉乃化而爲血故言皆聚於胃關於肺也兩焦受病則邪氣熏肺而肺氣滿故使人多涕唾而面浮腫氣逆也腹滿不欲食者胃寒故也胃脉者從缺盆下乳内廉下循腹至氣街其支者復從胃下口循腹裏至氣街中而合今胃受邪故病如是也何以明其不謂下焦然下焦者別於回腸注於膀胱故水穀者當并居於胃中盛糟粕而俱下於大腸泌別汁循下焦而滲入膀胱尋此行化乃與胃口懸遠故不謂此也○新校正云按甲乙經胃脉下循腹作下俠臍

帝曰治之柰何岐伯曰治藏者治其俞治府者治其合浮腫者治其經

諸藏俞者皆脉之所起第三穴諸府合者皆脉之所起第六穴也經者藏脉之所起第四穴府脉之所起第五穴靈樞經曰脉之所注爲俞所行爲經所入爲合此之謂也

帝曰善

補註釋文黄帝内經素問卷之五

黄帝素問 六

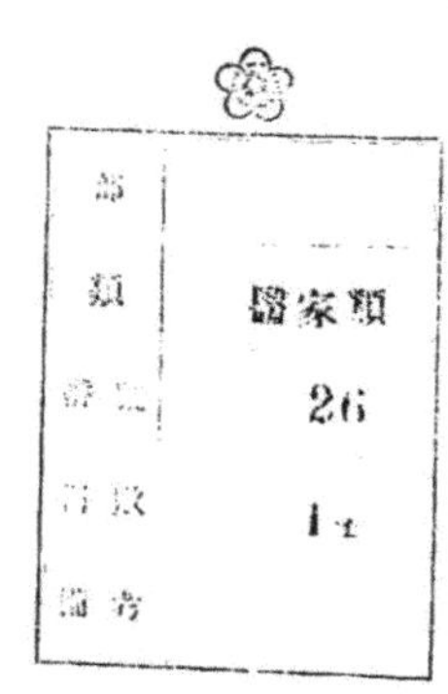

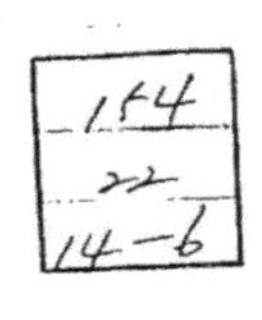

廿四

新刊補註釋文黃帝内經素問卷之六

○舉痛論篇第三十九

新校正云按全元起本在第三卷名五藏舉痛所以名舉痛之義未詳按本篇乃黃帝問五藏卒痛之疾疑舉乃卒字之誤也

黃帝問曰余聞善言天者必有驗於人善言古者必有合於今善言人者必有厭於己如此則道不惑而要數極所謂明明也

善言天者言天四時之氣温涼寒暑生長收藏在人形氣五藏參應可驗而指示善惡故曰必有驗於人善言古者謂言上古聖人養生損益之迹與今養生損益之理可合而與論成敗故曰必有合於今也善言人者謂言形骸骨節更相支柱筋脉束絡皮肉包裹而

五藏六府次居其中假七神五藏而運用之氣絶神去則之於死是以知彼浮形不能堅久静慮於己亦與彼同故曰以有厭於己也夫如此者是知道要數之極悉無疑惑深明至理而乃能然矣

今余問於夫子令言而可知視而可見捫而可得令驗於己而發蒙解惑可得而聞乎

言如發開童蒙之耳解於疑惑者之心令一一條理而目視手循驗之可得捫循之也

岐伯再拜稽首對曰何道之問也

請示起端也

帝曰願聞人之五藏卒痛何氣使然岐伯對曰經脉流行不止環周不休寒氣入經而稽遲泣

音澁而不行客於脉外則血少客於脉中則氣不通故卒然而痛帝曰其痛或卒然而止者或痛甚不休者或痛甚不可按者或按之而痛止者或按之無益者或喘動應手者或心與背相引而痛者或脇肋與少腹相引而痛者或腹痛引陰股者或痛宿昔而成積者或卒然痛死不知人少閒復生者或痛而嘔者或腹痛而後泄者或痛而閉不通者凡此諸痛各不同形別之柰何

欲明異候之所起

岐伯曰寒氣客於脉外則脉寒脉寒則縮踡縮踡則脉絀急絀急則外引小絡故卒然而痛得炅則痛立止

脉左右環故得寒則縮踡絀急縮踡絀急則衛氣不得流通故外引於小絡脉也衛氣不入寒内薄之脉急不縱故痛生也得熱則衛氣復行寒氣退辟故痛止炅熱也止止已也

絀丁骨反

因重中於寒則痛久矣

重寒難釋故痛久不消

寒氣客於經脉之中與炅氣相薄則脉滿滿則痛而不可按也

按之痛甚者其義具下文

寒氣稽留炅氣從上則脉充大而血氣亂故痛甚不可按也

脉既滿大血氣復亂按之則邪氣攻內故不可按也

寒氣客於腸胃之間膜原之下血不得散小絡急引故痛按之則血氣散故按之痛止

膜謂鬲間之膜原謂鬲肓之原血不得散謂鬲膜之中小絡脉內血也絡滿則急故牽引而痛生也手按之則寒氣散小絡緩故痛止

寒氣客於俠脊之脉則深按之不能及故按之無益也

俠脊之脉者當中之督脉也次兩傍足太陽脉也督脉者循脊裏太陽者貫膂筋故深按之不能及也若按當中則脊節曲按兩傍則膂筋蹙合曲與蹙合皆衛氣不得行過寒氣益聚而内畜故按之無益

寒氣客於衝脉衝脉起於關元隨腹直上寒氣客則脉不通脉不通則氣因之故喘動應手矣

衝脉奇經脉也關元穴名在臍下三寸言起自此穴即隨腹而上非生出於此也其本生出乃起於腎下也直上謂行會於咽喉也氣因之謂衝脉不通足少陰氣因之上滿衝脉與少陰並行故喘動而應手矣

寒氣客於背俞之脉則脉泣脉泣則血虚血虚則痛其俞注於心故相引而痛按之則熱氣至

熱氣至則痛止矣

背俞謂心俞脉亦足大陽脉也夫俞者皆内通於藏故曰其俞注於心相引而痛也按之則温氣入温氣入則心氣外發故痛止

寒氣客於厥陰之脉厥陰之脉者絡陰器繫於肝寒氣客於脉中則血泣脉急故脇肋與少腹相引痛矣

厥陰者肝之脉入髦中環陰器抵少腹上貫肝鬲布脇肋故曰絡陰器繫於肝脉急引脇與少腹痛也

厥氣客於陰股寒氣上及少腹血泣在下相引故腹痛引陰股

亦厥陰肝脉之氣也以其脉循陰股入毛中環陰器上抵少腹故曰厥氣客於陰股寒氣上及於少腹也

寒氣客於小腸膜原之間絡血之中血泣不得注於大經血氣稽留不得行故宿昔而成積矣

言血爲寒氣之所凝結而乃成積

寒氣客於五藏厥逆上泄陰氣竭陽氣未入故卒然痛死不知人氣復反則生矣

言藏氣被寒擁胃而不行氣復得通則已也○新校正云詳註中擁胃疑作擁冐

寒氣客於腸胃厥逆上出故痛而嘔也

腸胃客寒留止則陽氣不得下流而反上行寒不去則痛生陽上行則嘔逆故痛而嘔也

寒氣客於小腸小腸不得成聚故後泄腹痛矣小腸爲受盛之府中滿則寒邪不居故不得結聚而傳下入於迴腸迴腸廣腸也爲傳導之府物不得停留故後泄而痛

熱氣留於小腸腸中痛癉熱焦渴則堅乾不得出故痛而閉不通矣熱滲津液故便堅也

帝曰所謂言而可知者也視而可見柰何謂候色也

岐伯曰五藏六府固盡有部謂面上之分部

視其五色黄赤爲熱中熱則色黄赤白爲寒陽氣少血不上榮於色故白青黑爲痛血熱泣則變惡故色青黑則痛此所謂視而可見者也帝曰捫而可得柰何捫摸也以手循摸也岐伯曰視其主病之脉堅而血及陷下者皆可捫而得也帝曰善余知百病生於氣也

夫氣之爲用虛實逆順緩急皆能爲病故發此問端

怒則氣上喜則氣緩悲則氣消恐則氣下寒則氣收炅則氣泄驚則氣亂

新校正云按太素驚作憂

勞則氣耗思則氣結九氣不同何病之生岐伯曰怒則氣逆甚則嘔血及飧泄

新校正云按甲乙經及太素飧泄作食而氣逆

故氣上矣

怒則陽氣逆上而肝氣乘脾故甚則嘔血及飧泄也何以明其然怒則面赤甚則色蒼靈樞經曰盛怒而不止則傷志明怒則氣逆上而不下也

喜則氣和志達榮衛通利故氣緩矣

氣脉和調故志達暢榮衛通利故氣徐緩

悲則心系急肺布葉舉而上焦不通榮衛不散熱氣在中故氣消矣

布葉謂布盖之大葉○新校正云按甲乙經及太素而上焦不通作兩焦不通又王註肺布葉舉謂布盖之大葉疑非全元起云悲則損於心心系急則動於肺肺氣繫諸經逆故肺布而葉舉安得謂肺布爲肺布盖之大葉

恐則精却却則上焦閉閉則氣還還則下焦脹故氣不行矣

恐則陽精却上而不下流故却則上焦閉也上焦既閉氣不行流下焦陰氣亦還迴不散

而聚爲脹也然上焦固禁下焦氣還各守一處故氣不行也〇新校正云詳氣不行當作氣下行也

寒則腠理閉氣不行故氣收矣

腠謂津液滲泄之所理謂文理縫會之中閉謂密閉氣謂衛氣行謂流行收謂收斂也身寒則衛氣沉故皮膚文理及滲泄之處皆閉密而氣不流行衛氣收斂於中而不發散也〇新校正云按甲乙經氣不行作營衛不行

炅則腠理開榮衛通汗大泄故氣泄矣

人在陽則舒在陰則慘故熱則膚腠開發榮衛大通津液外滲而汗大泄

驚則心無所倚神無所歸慮無所定故氣亂矣

氣奔越故不調理〇新校正云按太素驚作憂字

勞則喘且汗出外内皆越故氣耗矣

疲力役則氣奔速故喘息氣奔速則陽外發故汗出然喘且汗出内外皆踰越於常紀故

氣耗損也

思則心有所存神有所歸正氣留而不行故氣

結矣

繫心不散故氣亦停留〇新校正云按甲乙經歸正二字作止字

（）腹中論篇第四十

新校正云按全元起本在第五卷

黄帝問曰有病心腹滿旦食則不能暮食此爲

何病岐伯對曰名爲鼓脹

心腹脹滿不能再食形如鼓脹故名鼓脹也○新校正云按太素鼓作穀字

帝曰治之柰何岐伯曰治之以雞矢醴一劑知二劑已

按古本草雞矢並不治鼓脹惟大利小便微寒今方制法當取用處湯漬服之

帝曰其時有復發者何也

復謂再發言如舊也

岐伯曰此飲食不節故時有病也雖然其病且已時故當病氣聚於腹也

飲食不節則傷胃胃脈者循腹裏而下行故飲食不節時有病者復病氣聚於腹中也

帝曰有病胷脇支滿者妨於食病至則先聞腥

內經六

臊臭出清液先唾血四支清目眩時時前後血病名爲何何以得之清液清水也亦謂之清涕清涕者謂從竅漏中漫液而下水出清冷也眩謂目視眩轉也前後血謂前陰後陰出血也岐伯曰病名血枯此得之年少時有所大脫血若醉入房中氣竭肝傷故月事衰少不來也出血多者謂之脫血漏下鼻衄嘔吐出血皆同焉夫醉則血脉盛血脉盛則內熱因而入房髓液皆下故腎中氣竭也肝藏血以少大脫血故肝傷也然於丈夫則精液衰乏女子則月事衰少而不來帝曰治之柰何復以何術岐伯曰以四烏鰂骨

一藘茹二物并合之丸以雀卵大如小豆以五丸為後飯飲以鮑魚汁利腸中新校正云按別本一作傷中鰂昨則反藘茹上力居反下音如字及傷肝也飯後藥先謂之後飯按古本草經云烏鰂魚骨藘茹等並不治血枯然經法用之是攻其所生所起爾夫醉勞力以入房則腎中精氣耗竭月事衰少不至則中有惡血淹留精氣耗竭則陰萎不起而無精惡血淹留則血痺著中而不散故先茲四藥用入方焉古本草經曰烏鰂魚骨味鹹冷平無毒主治女子血閉藘茹味辛寒平有小毒主散惡血雀卵味甘温平無毒主治男子陰萎不起強之令熱多精有子鮑魚味辛臭温平無毒主治瘀血血痺在四支不散者尋文會意方義如此而處治之也○新校正云按甲乙經及太素藘

茹作藺茹詳王註性味乃藺茹當改藘作藺又按本草烏鰂魚骨冷作微温雀卵甘作酸與王註異

帝曰病有少腹盛上下左右皆有根此爲何病可治不岐伯曰病名曰伏梁伏梁心之積也○新校正云詳此伏梁與心積之伏梁大異病有名同而實異者非一如此之類是也

帝曰伏梁何因而得之岐伯曰裹大膿血居腸胃之外不可治治之每切按之致死帝曰何以然岐伯曰此下則因陰必下膿血上則迫胃脘生鬲俠胃脘内癰

正當衝脉帶脉之部分也帶脉者起於季脇
迴身一周橫絡於臍下衝脉者與足少陰之
絡起於腎下出於氣街循陰股其上行者出
臍下同身寸之三寸關元之分俠臍直上循
腹各行會於咽喉故病當其分則少腹盛上
下左右皆有根也以其上下堅盛如有潛梁
故曰病名伏梁不可治也以裹大膿血居腸
胃之外按之痛悶不堪故每切按之致死也
以衝脉下行者絡陰上行者循腹故也上則
迫近於胃脘下則因薄於陰器也若因薄於
陰則便下膿血若迫近於胃則病氣上出於
鬲復使胃脘內長其癰也何以然哉以本有
大膿血在腸胃之外故也生當爲出傳文
誤也○新校正云按太素俠胃作使胃

此久病也難治居臍上爲逆居臍下爲從勿動
亟奪

若裹大膿血居臍上則漸傷心藏故爲逆居
臍下則去心稍遠猶得漸攻故爲從從順也

亟數也奪去也言不可移動但數數去之則可矣

論在刺法中今經亡

帝曰人有身體髀股胻皆腫環臍而痛是爲何病岐伯曰病名伏梁此二十六字錯簡在奇病論中若不有此二十六字則下文無據也○新校正云詳此并無註解盡在下卷奇病論中

此風根也此四字此篇本有奇病論中亦有之

其氣溢於大腸而著於肓肓之原在臍下故環

臍而痛也不可動之動之為水溺濇之病

亦衝脉也臍下謂脖胦在臍下同身寸之一寸半靈樞經曰肓之原名曰脖胦【脖】蒲沒反【胦】烏朗反

帝曰夫子數言熱中消中不可服高粱芳草石藥石藥發瘨芳草發狂

多飲數溲謂之熱中多食數溲謂之消中多喜曰瘨多怒曰狂芳美味也

夫熱中消中者皆富貴人也今禁高粱是不合其心禁芳草石藥是病不愈願聞其說

熱中消中者脾氣之上溢甘肥之所致故禁食高粱芳美之草也通評虛實論曰凡治消癉甘肥貴人則高粱之疾也又奇病論曰夫五味入於口藏於胃脾為之行其精氣津液

在脾故令人口甘此肥美之所發也此人必數食甘美而多肥也肥者令人内熱甘者令人中滿故其氣上溢轉爲消渴此之謂也夫富貴人者驕恣縱欲輕人而無能禁之禁之則逆其志順之則加其病帝思難詰故發問之髙膏粱米也石藥英乳也芳草濃美也然此五者富貴人常服之難禁也

岐伯曰夫芳草之氣美石藥之氣悍二者其氣急疾堅勁故非緩心和人不可以服此二者脾氣溢而生病氣美則重盛於脾消熱之氣躁疾氣悍則又滋其熱若人性和心緩氣候舒勻不與物爭釋然寛泰則神不躁迫無懼内傷故非緩心和人不可以服此二者悍利也堅定也固也勁剛也言其芳草石藥之氣堅定固久剛烈而卒不歇滅此二者是也

帝曰不可以服此二者何以然岐伯曰夫熱氣

慓悍藥氣亦然二者相遇恐内傷脾

慓疾也

脾者土也而惡木服此藥者至甲乙日更論

熱氣慓盛則木氣内餘故心非和緩則躁怒數起躁怒數起則熱氣因木以傷脾甲乙爲木故至甲乙日更論脾病之增減也

帝曰善有病膺腫

新校正云按甲乙經作癰腫

頸痛胷滿腹脹此爲何病何以得之

膺胷傍也頸項前也胷膺間也

岐伯曰名厥逆

氣逆所生故名厥逆

帝曰治之柰何岐伯曰灸之則瘖石之則狂須其氣并乃可治也

石謂以石鍼開破之

帝曰何以然岐伯曰陽氣重上有餘於上灸之則陽氣入陰入則瘖石之則陽氣虛虛則狂

灸之則火氣助陽陽盛故入陰石之則陽氣出陽氣出則內不足故狂

須其氣并而治之可使全也

并謂并合也待自并合則兩氣俱全故可治若不爾而灸石之則偏致勝負故不得全而瘖狂也

帝曰善何以知懷子之且生也岐伯曰身有病而無邪脉也

病謂經閉也脉法曰尺中之脉來而斷絶者經閉也月水不利若尺中脉絶者經閉也今病經閉脉反如常者婦人姙娠之證故云身有病而無邪脉

帝曰病熱而有所痛者何也岐伯曰病熱者陽脉也以三陽之動也人迎一盛少陽二盛太陽三盛陽明入陰也夫陽入於陰故病在頭與腹乃䐜脹而頭痛也帝曰善

新校正云按六節藏象論云人迎一盛病在少陽二盛病在太陽三盛病在陽明與此論同又按甲乙經三盛陽明無入陰也三字

○刺腰痛篇第四十一

新校正云按全元起本在第六卷

足太陽脉令人腰痛引項脊尻背如重狀

足太陽脉别下項循肩髆内俠脊抵腰中别下貫臀故令人腰痛引項脊尻背如重狀也

○新校正云按甲乙經貫臀作貫胂刺瘧注亦作貫胂三部九候註作貫臀尻枯熬反

刺其郄中太陽正經出血春無見血

郄中委中也在膝後屈處膕中央約文中動脉足太陽脉之所入也刺可入同身寸之五分留七呼若灸者可灸三壯太陽合腎腎王於冬水衰於春故春無見血也

少陽令人腰痛如以鍼刺其皮中循循然不可以俛仰不可以顧

足少陽脉遶髦際橫入髀厭中故令腰痛如以鍼刺其皮中循循然不可俛仰少陽之脉起於目銳眥上抵頭角下耳後循頸行手陽明之前至肩上交出手少陽之後其支別者目銳眥下大迎合手少陽於䪼下加頰車下頸合缺盆故不可以顧○新校正云按甲乙經行手陽明之前作行手少陽之前也

刺少陽成骨之端出血成骨在膝外廉之骨獨起者夏無見血

成骨謂膝外近下胻骨上端兩起骨相並間陷容指者也胻骨所成柱膝髀骨故謂之成骨也少陽合肝肝王於春木衰於夏故無見血也

陽明令人腰痛不可以顧顧如有見者善悲

足陽明脉起於鼻交頞中下循鼻外入上齒中還出俠口環脣下交承漿却循頤後下廉

出大迎其支别者從大迎前下人迎循喉嚨入缺盆又其支别者起胃下口循腹裏至氣街中而合以下髀故令人腰痛不可顧顧如有見者陽虛故悲也

刺陽明於䯒前三痏上下和之出血秋無見血

按内經中誥流注圖經陽明脉穴俞之所主此腰痛者悉刺䯒前三痏則正三里穴也三里穴在膝下同身寸之三寸䯒骨外廉兩筋肉分間刺可入同身寸之一寸留七呼若灸者可灸三壯陽明合脾脾王長夏土衰於秋故秋無見血○新校正云按甲乙經䯒作骭

足少陰令人腰痛痛引脊内廉

足少陰脉上股内後廉貫脊屬腎故令人腰痛痛引脊内廉也○新校正云按全元起本脊内廉作脊内痛太素亦同此前少足太陰腰痛證并刺足太陰法應古文脱簡也

刺少陰於内踝上二痏春無見血出血太多不

可復也

按內經中誥流注圖經少陰脉穴俞所主此腰痛者當刺內踝上則正復溜穴也復溜在內踝後上同身寸之二寸動脉陷者中刺可入同身寸之三分留三呼若灸者可灸五壯

厥陰之脉令人腰痛腰中如張弓弩弦

足厥陰脉自陰股環陰器抵少腹其支別者與太陰少陽結於腰髁下俠脊第三第四骨空中其穴即中髎下髎故腰痛則中如張弓弩之弦也如張弦者言強急之甚

刺厥陰之脉在腨踵魚腹之外循之累累然乃刺之

腨踵者言脉在腨外側下當足跟也腨形勢如臥魚之腹故曰魚腹之外也循其分肉有血絡累累然乃刺出之此正當蠡溝穴分足厥陰之絡在內踝上五寸別走少陽者刺可

入同身寸之二分留三呼若灸者可灸三壯厥陰三經作居陰是傳寫草書厥字爲居也○新校正按經云厥陰之脉令人腰痛次言刺厥陰之脉註言刺厥厥陰之絡經註相違疑經中脉字乃絡字之誤也腨時轉反

其病令人善言嘿嘿然不慧刺之三痏

厥陰之脉循喉嚨之後上入頏顙絡於舌本故病則善言風盛則昏冒故不爽慧也三刺其處腰痛乃除○新校正云按經云善言嘿嘿然不慧詳善言嘿嘿二病難相兼全元起本無善字於義爲允又按甲乙經厥陰之脉不絡舌本王氏於素問之中五處引註而註厥論與刺熱及此三篇皆云絡舌本註風論註痺論二篇不言絡舌本蓋王氏亦疑而兩言之也

解脉令人腰痛痛而引肩目䀮䀮然時遺溲

解脉散行脉也言不合而别行也此足太陽之經起於目内眥上額交巔上循肩髆俠脊抵腰中入循膂絡腎屬膀胱下入膕中故病斯候也又其支别者從髆内别下貫胂循髀外後廉而下合於膕中二脉如繩之解股故名解脉也

刺解脉在膝筋肉分間郄外廉之横脉出血血變而止

膝後兩傍大筋雙上股之後兩筋之間横文之處努肉高起則郄中之分也古中語以膕中爲太陽之郄當取郄外廉有血絡横見迢然紫黒而盛滿者乃刺之當見黒血必候其血色變赤乃止血不變赤極而寫之必行血色變赤乃止此太陽中經之爲腰痛也

解脉令人腰痛如引帶常如折腰狀善恐

足太陽之别脉自肩而别下循背脊至腰而横入髀外後廉而下合膕中故若引帶如折

腰之狀。新校正云按甲乙經如引帶作如裂裳善恐作善怒

刺解脉在郄中結絡如黍米刺之血射以黑見赤血而已

郄中則委中穴足太陽合也在膝後屈處膕中央約文中動脉刺可入同身寸之五分留七呼若灸者可灸三壯此經刺法也今則取其結絡大如黍米者當黑血箭射而出見血變赤然可止也。新校正云按全元起云有兩解脉病源各異恐誤未詳

同陰之脉令人腰痛如小錘居其中怫然腫

足少陽之別絡也並少陽經上行去足外踝上同身寸之五寸乃別走厥陰並經下絡足跗故曰同陰脉也怫怫怒也言腫如嗔怒也。新校正云按太素小錘作小鍼怫音弗

刺同陰之脉在外踝上絕骨之端為三痏

絶骨之端如前同身寸之三分陽輔穴也足少陽脉所行刺可入同身寸之五分留七呼若灸者可灸三壯

陽維之脉令人腰痛痛上怫然腫

陽維起於陽則太陽之所生奇經八脉此其一也

刺陽維之脉脉與太陽合腨下間去地一尺所

太陽所主與正經並行而上至腨下復與太陽合而上也腨下去地正同身寸之一尺是則承光穴在鋭腨腸下肉分間陷者中刺可入同身寸之七分若灸者可灸五壯以其取腨腸下肉分間故云合腨下間○新校正云按穴之所在乃承山穴非承光也山字誤為光

衡絡之脉令人腰痛不可以俛仰則恐仆得之

舉重傷腰衡絡絕惡血歸之

衡橫也謂太陽之外絡自腰中橫入髀外後廉而下與中經合於膕中者今舉重傷腰則橫絡絕中經獨盛故腰痛不可以俛仰矣一經作行絕之脉傳寫魚魯之誤也若是行脉中誥不應取太陽脉委陽殷門之穴也

刺之在郄陽筋之間上郄數寸衡居爲二痏出血

橫居二穴謂委陽殷門平視橫相當也郄陽謂浮郄穴上側委陽穴也筋之間謂膝後膕上兩筋之間殷門穴也二穴各去臀下橫文同身寸之六寸故曰上郄數寸也委陽刺可入同身寸之七分留五呼若灸者可灸三壯殷門刺可入同身寸之五分留七呼若灸者可灸三壯故曰衡居爲二痏○新校正云詳王氏云浮郄穴上側委陽八也按甲乙經委

陽在浮郄穴下一寸不得言上側也

會陰之脉令人腰痛上漯漯然汗出汗乾令人欲飲飲已欲走

足太陽之中經也其脉循腰下會於後陰故曰會陰之脉其經自腰下行至足今陽氣大盛故痛上漯漯然汗出汗液既出則腎燥陰虛故汗乾令人欲飲水以救腎也水入腹已腎氣復生陰氣流行太陽又盛故飲水已反欲走也

刺直陽之脉上三痏在蹻上郄下五寸橫居視其盛者出血

直陽之脉則大陽之脉俠脊下行貫臀下至膕中下循腨過外踝之後條直而行者故曰直陽之脉也蹻謂陽蹻所生申脉穴在外踝下也郄下則膕下也言此刺處在膕下同身

寸之五寸上承郄中之穴下當申脉之位是謂承筋穴即腨中央如外陷者中也太陽脉氣所發禁不可刺可灸三壯今云刺者謂刺其血絡之盛滿者也兩腨皆有太陽經氣下行當視兩腨中央有血絡盛滿者乃刺出之故曰視其盛者出血○新校正云詳上云會陰之脉令人腰痛此云刺直陽之脉者詳此直陽之脉即會陰之脉也文變而事不殊又承筋穴註云腨中央如外○按甲乙經及骨空論註無如外二字

飛陽之脉令人腰痛痛上怫怫然甚則悲以恐

是陰維之脉也去內踝上同身寸之五寸腨分中並少陰經而上也少陰之脉前則陰維脉所行也足少陰之脉從腎上貫肝鬲入肺中循喉嚨俠舌本其支別者從肺出絡心注胷中故甚則悲以恐也恐者生於腎悲者生於心

刺飛陽之脉在內踝上五寸

新校正云按甲乙經作二寸

少陰之前與陰維之會

內踝後上同身寸之五寸復溜穴少陰脉所行刺可入同身寸之三分內踝之後築賓穴陰維之郄刺可入同身寸之三分若灸者可灸五壯少陰之前陰維之會以三脉會在此穴分位也刺可入同身寸之三分若灸者可灸五壯今中誥經文正同此法○新校正云按甲乙經足太陽之絡別走少陰者名曰飛陽在外踝上七寸又云築賓陰維之郄在內踝上腨分中復溜穴在內踝上二寸今此經註都與甲乙不合者疑經註中五寸字當作二寸則素問與甲乙相應矣

昌陽之脉令人腰痛痛引膺目䀮䀮然甚則反折舌卷不能言

陰蹻脉也陰蹻者足少陰之别也起於然骨之後上内踝之上直上循陰股入陰而循腹上入胷裏入缺盆上出人迎之前入頄内廉屬目内眥合於太陽陽蹻而上行故腰痛之狀如此

刺内筋爲二痏在内踝上大筋前太陰後上踝二寸所內筋謂大筋之前分肉也太陰後大筋前即陰蹻之郄交信穴也在内踝上同身寸之二寸少陰前太陰後筋骨之間陷者之中刺可入同身寸之四分留五呼若灸者可灸三壯今中誥經文正主此

散脉令人腰痛而熱熱甚生煩腰下如有横木居其中甚則遺溲

散脉足太陰之别也散行而上故以名焉其脉循股内入腹中與少陰少陽結於腰髁下骨空中故病則腰下如有横木居其中甚乃遺溲也

刺散脉在膝前骨肉分間絡外廉束脉爲三痏

謂膝前内側也骨肉分謂膝内輔骨之下下廉腨肉之兩間也絡外廉則太陰之絡色青而見者也輔骨之下後有大筋擷束膝胻之骨令其連屬取此筋骨繫束之處脉以去其病是曰地機三刺而已故曰束脉爲之三痏也

肉里之脉令人腰痛不可以欬欬則筋縮急

肉里之脉少陽所生則陽維之脉氣所發也里裏也

刺肉里之脉爲二痏在太陽之外少陽絶骨之後

分肉主之一經云少陽絕骨之前傳寫誤也絕骨之前足少陽脉所行絕骨之後陽維脉所過故指曰在太陽之外少陽絕骨之後也分肉穴在足外踝直上絕骨之端如後同身寸之二分筋肉分間陽維脉氣所發刺可入同身寸之五分留十呼若灸者可灸三壯○新校正云按分肉之穴甲乙經不見與氣穴註兩出而分寸不同氣穴註二分作三分五分作三分十呼作七呼

腰痛俠脊而痛至頭几几然目䀮䀮欲僵仆刺足太陽郄中出血

郄中委中○新校正云按太素作頭沉沉然

腰痛上寒刺足太陽陽明上熱刺足厥陰不可以俛仰刺足少陽中熱而喘刺足少陰刺郄中

出血

此法玄妙中詰不同莫可窺測當用知其應不爾皆應先去血絡乃調之也

腰痛上寒不可顧刺足陽明

上寒陰市主之陰市在膝上同身寸之三寸伏兔下陷者中足陽明脉氣所發刺可入同身寸之三分留七呼若灸者可灸三壯不可顧三里主之三里在膝下同身寸之三寸膝外廉兩筋肉分間足陽明脉之所入也刺可入同身寸之一寸留七呼若灸者可灸三壯

上熱刺足太陰

地機主之地機在膝下同身寸之五寸足太陰之郄也刺可入同身寸之三分若灸者可灸三壯〇新校正云按甲乙經作五壯

中熱而喘刺足少陰

涌泉太鍾悉主之涌泉在足心陷者中屈足捲指宛宛中足少陰脉之所出刺可入同身寸之三分留三呼若灸者可灸三壯太鍾在足跟後街中動脉足少陰之絡刺可入同身寸之二分留七呼若灸者可灸三壯○新校正云按刺瘧註太鍾在内踝後街中水穴論註在内踝後此註在跟後街中動脉三註不同甲乙經亦云在跟後衝中當從甲乙經爲正

大便難刺足少陰

涌泉主之

少腹滿刺足厥陰

大衝主之在足大指本節後内間同身寸之二寸陷者中脉動應手足厥陰脉之所注也刺可入同身寸之三分留十呼若灸者可灸三壯

如折不可以俛仰不可舉刺足太陽

如折束骨主之不可以俛仰京骨崑崙悉主之不可舉申脉僕參悉主之束骨在足小指外側本節後赤白肉際陷者中足太陽脉之所注也刺可入同身寸之三分留三呼若灸者可灸三壯京骨在足外側大骨下赤白肉際陷者中按而得之足太陽脉之所過也刺可入同身寸之三分留七呼若灸者可灸三壯崑崙在足外踝後跟骨上陷者中細脉動應手足太陽脉之所行也刺可入同身寸之五分留十呼若灸者可灸三壯申脉在外踝下同身寸之五分容爪甲陽蹻之所生也刺可入同身寸之六分留十呼若灸者可灸三壯僕參在跟骨下陷者中足太陽陽蹻二脉之會刺可入同身寸之三分留七呼若灸者可灸三壯○新校正云按甲乙經申脉在外踝下陷者中無五分字刺入六分作三分留十呼作留六呼氣穴注作七呼僕參留七呼甲乙經作六呼

引脊内廉刺足少陰

復溜主之取用飛陽註從腰痛上寒不可顧至此件經語除註並合朱書○新校正云按全元起本及甲乙經并太素自腰痛上寒至此並無乃王氏所添也今註云從腰痛上寒至並合朱書十九字非王氷之語蓋後人所加也

腰痛引少腹控䏚不可以仰

新校正云按甲乙經作不可以俛仰字䏚音妙

刺腰尻交者兩髁胂上以月生死為痏數發鍼立已

此邪客於足太陰之絡也控通引也䏚謂季脇下之空軟處也腰尻交者謂髁下尻骨二傍四骨空左右八穴俗呼此骨為八髎骨也此腰痛取腰髁下第四髎即下髎穴也足太

陰厥陰少陽三脉左右交結於中故曰腰尻
交者也兩髁胂謂兩髁骨下竪起肉也胂上
非胂之上巔正當刺胂肉矣直刺胂肉即胂
上也何者胂之上巔别有中膂内俞白環俞
雖並主腰痛考其形證經不相應矣髁骨即
腰脊兩傍起骨之侠脊兩傍腰髁之下各有
胂肉朧起而斜趣於髁骨之後内承其髁故
曰兩髁胂也下承髁胂肉左右兩胂各有四
骨空故曰上髎次髎中髎下髎上髎當髁骨
下陷者中餘三髎少斜下按之陷中是也四
空悉主腰痛惟下髎所主文與經同即太陰
厥陰少陽所結者也刺可入同身寸之二寸
留十呼若灸者可灸三壯以月生死爲痏數
者月初向圓爲月生月半向空爲月死死月
刺少生月刺多繆刺論曰月生一日一痏二
日二痏漸多之十五日十五痏十六日十四
痏漸少之其痏數多少如此
即知之髁苦瓦反髎音遼

左取右右取左

痛在左鍼取右痛在右鍼取左所以然者以其脉左右交結於尻骨之中故也○新校正云詳比腰痛引少腹一節與繆刺論重

○風論篇第四十二

新校正云按全元起本在第九卷

黃帝問曰風之傷人也或爲寒熱或爲熱中或爲寒中或爲癘風或爲偏枯或爲風也其病各異其名不同或内至五藏六府不知其解願聞其說傷謂人自中之

岐伯對曰風氣藏於皮膚之間内不得通外不

得泄

腠理開踈則邪風入風氣入已玄府閉封故内不得通外不得泄也

風者善行而數變腠理開則洒然寒閉則熱而悶

洒然寒貌悶不爽貌腠理開則風飄揚故寒腠理閉則風混亂故悶

其寒也則衰食飲其熱也則消肌肉故使人怢慄而不能食名曰寒熱

寒風入胃故食飲衰熱氣内藏故消肌肉寒熱相合故怢慄而不能食名曰寒熱也怢慄卒振寒貌○新校正云詳怢慄全元起本作失味甲乙經作解㑊

風氣與陽明入胃循脉而上至目内眥其入肥

則風氣不得外泄則爲熱中而目黃入瘦則外泄而寒則爲寒中而泣出

陽明者胃脉也胃脉起於鼻交頞中下循鼻外入上齒中還出俠口環唇下交承漿却循頤後下廉循喉嚨入缺盆下屬胃故與陽明入胃循脉而上至目内眥也人肥則腠理密緻故不得外泄則爲熱中而目黃入瘦則腠理開踈風得外泄則寒中而泣出也

風氣與太陽俱入行諸脉俞散於分肉之間與衛氣相干其道不利故使肌肉憤䐜而有瘍衛氣有所凝而不行故其肉有不仁也

肉分之間衛氣行處風與衛氣相薄俱行於肉分之間故氣道澁而不利也氣道不利風氣内攻衛氣相持故肉憤䐜而瘡出也瘍瘡也若衛氣被風吹之不得流轉所在偏併凝

而不行則肉有不仁之處也　不仁謂㿏而不知寒熱痛痒

癘者有榮衛熱胕其氣不清故使鼻柱壞而色敗皮膚瘍潰

此則風入於經脉之中也榮行脉中故風入脉中内攻於血與榮氣合合熱而血胕壞也其氣不清言潰亂也然血脉潰亂榮復挾風陽脉盡上於頭鼻爲呼吸之所故鼻柱壞而色惡皮膚破而潰爛也脉要精微論曰脉風成爲癘　潰胡對反

風寒客於脉而不去名曰癘風或名曰寒熱

始爲寒熱熱成曰癘風○新校正云按別本成一作盛

以春甲乙傷於風者爲肝風以夏丙丁傷於風者爲心風以季夏戊巳傷於邪者爲脾風以秋

庚辛中於邪者爲肺風以冬壬癸中於邪者爲腎風

春甲乙木肝主之夏丙丁火心主之季夏戊己土脾主之秋庚辛金肺主之冬壬癸水腎主之

風中五藏六府之俞亦爲藏府之風各入其門户所中則爲偏風

隨俞左右而偏中之則爲偏風

風氣循風府而上則爲腦風風入係頭則爲目風眼寒

風府穴名正入項髮際一寸大筋內宛宛中督脉陽維之會自風府而上則腦户也腦户

者督脉足太陽之會故循風府而上則爲腦風也足太陽之脉起於目内眥上額交巔上入絡腦還出故風入係頭則爲目風眼寒也

飲酒中風則爲漏風

熱欝腠踈中風汗出多如液漏故曰漏風經具名曰酒風

入房汗出中風則爲内風

内耗其精外開腠理因内風襲故曰内風經具名曰勞風

新沐中風則爲首風

沐髮中風舍於頭故曰首風

久風入中則爲腸風飱泄

風在腸中上熏於胃故食不化而下出焉飱泄者食不化而出也○新校正云按全元起

云飧泄者水穀不分爲利

外在腠理則爲泄風

風居腠理則玄府開通風薄汗泄故云泄風

故風者百病之長也至其變化乃爲他病也無常方然致有風氣也

長先也先百病而有也○新校正云按全元起本及甲乙經致字作故

帝曰五藏風之形狀不同者何願聞其診及其病能

診謂可言之證能謂內作病形

岐伯曰肺風之狀多汗惡風色皏然白時欬短

氣晝日則差暮則甚診在眉上其色白凡内多風氣則熱有餘熱則腠理開故多汗也風薄於内故惡風焉皏謂薄白色也肺色白在變動爲欬主藏氣風内迫之故色皏然白時欬短氣也晝則陽氣在表故差暮則陽氣入裏風内應之故甚也眉上謂兩眉間之上闕庭之部所以外司肺候故診在焉白肺色也

心風之狀多汗惡風焦絶善怒嚇赤色病甚則言不可快診在口其色赤焦絶謂脣焦而文理斷絶也何者熱則皮剥故也風薄於心則神亂故善怒而嚇人也心脉支別者從心系上俠咽喉而主舌故脉甚則言不可快也口脣色赤故診在焉赤者心色○新校正云按甲乙經無嚇字

肝風之狀多汗惡風善悲色微蒼嗌乾善怒時憎女子診在目下其色青

肝病則心藏無養心氣虛故善悲肝合木木色蒼故色微蒼也肝脉者循股陰入髦中環陰器抵少腹俠胃屬肝絡膽上貫鬲布脇肋循喉嚨之後入頏顙上出額與督脉會於巔其支別者從目系下故嗌乾善怒時憎女子診在目下也青肝色也

脾風之狀多汗惡風身體怠憜四支不欲動色薄微黃不嗜食診在鼻上其色黃

脾脉起於足上循胻骨又上膝股内前廉入腹屬脾絡胃上鬲俠咽連舌本散舌下其支別者復從胃別上鬲注心中心脉出於手循臂故身體怠惰四支不欲動而不嗜食脾氣合土主中央鼻於面部亦居中故診在焉黃脾色也○新校正云按王註脾風不當引心

脉出於手循臂七字於義無取脾
主四支脾風則四支不欲動矣

腎風之狀多汗惡風面痝然浮腫脊痛不能正立其色炲隱曲不利診在肌上其色黑

痝然言腫起也炲黑色也腎者陰也目下亦陰也故腎藏受風則面痝然而浮腫腎脉者起於足下上循腨內出膕內廉上股內後廉貫脊故脊痛不能正立也隱曲者謂隱蔽委曲之處也腎藏精外應交接今藏被風薄精氣內微故隱蔽委曲之事不通利所爲也陰陽應象大論曰氣歸精精食氣今精不足則氣內歸精氣不注皮故肌皮上黑也黑腎色也

胃風之狀頸多汗惡風食飲不下鬲塞不通腹善滿失衣則䐜脹食寒則泄診形瘦而腹大

胃之脉支別者從頤後下廉過人迎循喉嚨入缺盆下鬲屬胃絡脾其直行者從缺盆下

乳内廉下俠臍入氣街中其支別者起胃下口循腹裏至氣街中而合故頸多汗食飲不下鬲塞不通腹善滿也然失衣則外寒而中熱故腹䐜脹食寒則寒物薄胃而陽不内消故泄利胃合脾而主肉胃氣不足則肉不長故瘦也胃中風氣稸聚故腹大也○新校正云按孫思邈云新食竟取風爲胃風

首風之狀頭面多汗惡風當先風一日則病甚頭痛不可以出内至其風日則病少愈

頭者諸陽之會風客之則皮腠踈故頭面多汗也夫人陽氣外合於風故先當風一日則病甚以先風甚故亦先衰是以至其風日則病少愈内謂室屋之内也不可以出室屋之内者以頭痛甚而不喜外風故也○新校正云按孫思邈云新沐浴竟取風爲首風

漏風之狀或多汗常不可單衣食則汗出甚則

身汗喘息惡風衣常濡口乾善渴不能勞事

肺胃風熱故不可單衣腠理開踈故食則汗出甚則風薄於肺故身汗喘息惡風衣裳濡口乾善渴也形勞則喘息故不能勞事○新校正云按孫思邈云因醉取風爲漏風其狀惡風多汗少氣口乾善渴近衣則身熱如火臨食則汗流如雨骨節懈惰不欲自勞

泄風之狀多汗汗出泄衣上口中乾上漬其風不能勞事身體盡痛則寒

上漬謂皮上濕如水漬也以多汗出故爾汗多則津液涸故口中乾形勞則汗出甚故不能勞事身體盡痛以其汗多汗多則亡陽故寒也○新校正云按孫思邈云新房室竟取風爲內風其狀惡風汗流霑衣裳疑此泄風乃內風也按本論前文先云漏風內風首風次言入中爲腸風在外爲泄風今有泄風而無內風孫思邈載內風乃此泄風之狀故知

此泄字内之誤也

帝曰善

○痺論篇第四十三 新校正云按全元起本在第八卷

黄帝問曰痺之安生 安猶何也言何以生

岐伯對曰風寒濕三氣雜至合而爲痺也 雖合而爲痺發起亦殊矣

其風氣勝者爲行痺寒氣勝者爲痛痺濕氣勝者爲著痺也

風則陽受之故爲痺行寒則陰受之故爲痺痛濕則皮肉筋脉受之故爲痺著而不去也

故乃痺從風寒濕之所生也

帝曰其有五者何也

言風寒濕氣各異則三痺生有五而何氣之勝也

岐伯曰以冬遇此者爲骨痺以春遇此者爲筋痺以夏遇此者爲脉痺以至陰遇此者爲肌痺以秋遇此者爲皮痺

冬主骨春主筋夏主脉秋主皮至陰主肌肉故各爲其痺也至陰謂戊己月及土寄王月也

帝曰內舍五藏六府何氣使然

言皮肉筋骨脉痺以五時之外遇然内居藏府何以致之

岐伯曰五藏皆有合病久而不去者内舍於其合也

肝合筋心合脉脾合肉肺合皮腎合骨久病不去則入於是

故骨痺不已復感於邪内舍於腎筋痺不已復感於邪内舍於肝脉痺不已復感於邪内舍於心肌痺不已復感於邪内舍於脾皮痺不已復感於邪内舍於肺所謂痺者各以其時重感於風寒濕之氣也

時謂氣王之月也肝王春心王夏肺王秋腎王冬脾王四季之月感謂感應也

凡痺之客五藏者肺痺者煩滿喘而嘔

以藏氣應息又其脉環循胃口故使煩滿喘而嘔

心痺者脉不通煩則心下鼓暴上氣而喘嗌乾善噫厥氣上則恐

心合脉受邪則脉不通利也邪氣内擾故煩也手心主心包之脉起於胷中出屬心包下鬲手少陰心脉起於心中出屬心系下鬲絡小腸其支別者從心系上俠咽喉其直者復從心系却上肺故煩則心下鼓滿暴上氣而喘嗌乾也心主爲噫以下鼓滿故噫之以出氣也若是逆氣上乘於心則恐畏也神懼痿弱故爾

肝痺者夜卧則驚多飲數小便上爲引如懷

肝主驚駭氣相應故中夜卧則驚也肝之脉循股陰入髦中環陰器抵少腹俠胃屬肝絡

膽上貫鬲布脇肋循喉嚨之後上入頏顙故多飲水數小便上引少腹痛懷姙之狀

腎痺者善脹尻以代踵脊以代頭

腎者胃之關關不利則胃氣不轉故善脹也尻以代踵謂足攣急也脊以代頭謂身蜷屈也踵足跟也腎之脉起於足小指之下斜趣足心出於然骨之下循內踝之後別入跟中以上腨內出膕內廉上股內後廉貫脊屬腎絡膀胱其直行者從腎上貫肝鬲入肺中氣不足而受邪故不伸展○新校正云詳然骨一作然谷

脾痺者四支解墮發欬嘔汁上爲大塞

土王四季外主四支故四支解墮又以其脉起於足循腨胻上膝股也然脾脉入腹屬脾絡胃上鬲俠咽故發欬嘔汁脾氣養肺胃復連咽故上爲大塞也

腸痺者數飲而出不得中氣喘爭時發飧泄

大腸之脉入缺盆絡肺下鬲屬大腸小腸之脉又入缺盆絡心循咽下鬲抵胃屬小腸今小腸有邪則脉不下鬲脉不下鬲則腸不行化而胃氣稽熱故多飲水而不得下出也腸胃中陽氣與邪氣奔喘交争得時通利以腸氣不化故時或得通則爲飱泄

胞痹者少腹膀胱按之内痛若沃以湯濇於小便上爲清涕

膀胱爲津液之府胞内居之少腹處關元之中内藏胞器然膀胱之脉起於目内眥上額交巔上入絡腦出别下項循肩髆内俠脊抵腰中入循膂絡腎屬膀胱其支别者從腰中下貫臀入膕中今胞受風寒濕氣則膀胱太陽之脉不得下流於足故少腹膀胱按之内痛若沃以湯濇於小便也小便既濇太陽之脉不得下行故上爍其腦而爲清涕出於鼻竅矣沃猶灌也○新校正云按全元起本内痛二字作兩髀

陰氣者靜則神藏躁則消亡

陰謂五神藏也所以說神藏與消亡者言人安靜不涉邪氣則神氣寧以內藏人躁動觸冒邪氣則神被害而離散藏無所守故曰消亡此言五藏受邪之爲痺也

飲食自倍腸胃乃傷

藏以躁動致傷府以食飲見損皆謂過用越性則受其邪此言六府受邪之爲痺也

淫氣喘息痺聚在肺淫氣憂思痺聚在心淫氣遺溺痺聚在腎淫氣乏竭痺聚在肝淫氣肌絶痺聚在脾

淫氣謂氣之妄行者各隨藏之所主而入爲痺也○新校正云詳從上凡痺之客五藏者至此全元起本在陰陽别論中此王氏之所移也

諸痺不已亦益內也

從外不去則益深至於身內

其風氣勝者其人易已也帝曰痺其時有死者或疼久者或易已者其故何也岐伯曰其入藏者死其留連筋骨間者疼久其留皮膚間者易已

入藏者死以神去也筋骨疼久以其定也皮膚易已以浮淺也由斯深淺故有是不同

帝曰其客於六府者何也岐伯曰此亦其食飲居處爲其病本也

四方雖土地溫凉高下不同物性剛柔食居不異但動過其分則六府致傷陰陽應象大

論曰水穀之寒熱感則害六府○新校正云按傷寒論曰物性剛柔飧居亦異

六府亦各有俞風寒濕氣中其俞而食飲應之循俞而入各舍其府也

六府俞亦謂背俞也膽俞在十椎之傍胃俞在十二椎之傍三焦俞在十三椎之傍大腸俞在十六椎之傍小腸俞在十八椎之傍膀胱俞在十九椎之傍隨形分長短而取之如是各去脊同身寸之一寸五分並足太陽脉氣之所發也○新校正云詳六府俞並在本椎下兩傍此註言在椎之傍者文略也

帝曰以鍼治之柰何岐伯曰五藏有俞六府有合循脉之分各有所發各隨其過

新校正云按甲乙經隨作治

則病瘳也

肝之俞曰太衝心之俞曰大陵脾之俞曰太白肺之俞曰大淵腎之俞曰大谿皆經脉之所注也太衝在足大指間本節後二寸陷者中○新校正云按刺腰痛註云太衝在足大指本節後內間二寸陷者中動脉應手刺可入同身寸之三分留十呼若灸者可灸三壯大陵在手掌後骨兩筋間陷者中刺可入同身寸之六分留七呼若灸者可灸三壯太白在足內側核骨下陷者中刺可入同身寸之三分留七呼若灸者可灸三壯大淵在手掌後陷者中刺可入同身寸之二分留二呼若灸者可灸三壯大谿在足內踝後跟骨上動脉陷者中刺可入同身寸之三分留七呼若灸者可灸三壯胃合入于三里膽合入于陽陵泉大腸合入于曲池小腸合入于小海三焦合入于委陽膀胱合入于委中三里在膝下三寸䯒外廉兩筋間刺可入同身寸之一寸留十呼若灸者可灸三壯陽陵泉在膝下一

一寸䯒外廉陷者中刺可入同身寸之六分留十呼若灸者可灸三壯小海在肘内大骨外去肘端五分陷者中屈肘乃得之刺可入同身寸之二分留七呼若灸者可灸五壯曲池在肘外輔屈肘曲骨之中刺可入同身寸之五分留七呼若灸者可灸三壯委陽在足膕中外廉兩筋間刺可入同身寸之七分留五呼若灸者可灸三壯屈伸而取之委中在膕中央約文中動脉刺可入同身寸之五分留七呼若灸者可灸三壯○新校正云按刺熱註委中在足膝後屈處餘並同此○故經言循脉之分各有所發各隨其過則病瘳也過謂脉所經過處○新校正云詳王氏以委陽為三焦合按甲乙經云委陽三焦下輔俞也足太陽之别絡三焦之合自在手少陽經天井穴為少陽肝之所入為合詳此六府之合俱引本經所入之穴獨三焦不引本經所入之穴者王氏之誤也王氏但見甲乙經云三焦合于委陽彼說自異彼又以大腸合于巨虛上廉小腸合于下廉此以曲池小海易

之故知當以天井穴爲合也

帝曰：榮衛之氣亦令人痺乎？岐伯曰：榮者水穀之精氣也，和調於五藏，灑陳於六府，乃能入於脉也。

正理論曰：谷入於胃，脉道乃行，水入於經，其血乃成。又靈樞經曰：榮氣之道，内谷爲實。○新校正云：按别本實作寶。穀入於胃，氣傳與肺，精專者上行經隧，由此故水穀精氣合榮氣運行而入於脉也。

故循脉上下，貫五藏，絡六府也。

榮行脉内，故無所不至。

衛者水穀之悍氣也，其氣慓疾滑利，不能入於

脉也

悍氣謂浮盛之氣也以其浮盛之氣故慓疾滑利不能入於脉中也

故循皮膚之中分肉之間熏於肓膜散於胷腹

皮膚之中分肉之間謂脉外也肓膜謂五藏之間鬲中膜也以其浮盛故能布散於胷腹之中空虛之處熏其肓膜令氣宣通也肓音荒

逆其氣則病從其氣則愈不與風寒濕氣合故不爲痺帝曰善痺或痛或不痛或不仁或寒或熱或燥或濕其故何也岐伯曰痛者寒氣多也有寒故痛也

風寒濕氣客於肉分之間迫切而爲沫得寒則聚聚則排分肉肉裂則痛故有寒則痛也

其不痛不仁者病久入深榮衛之行濇經絡時踈故不通新校正按甲乙經不通作不痛詳甲乙經此條論不痛與不仁兩事後言不痛是載明不痛之為重也

皮膚不營故爲不仁不仁者皮頑不知有無也

其寒者陽氣少陰氣多與病相益故寒也病本生於風寒濕氣故陰氣益之也

其熱者陽氣多陰氣少病氣勝陽遭陰故爲痹熱

遭遇也言遇於陰氣陰氣不勝故爲熱○新校正云按甲乙經遭作乘

其多汗而濡者此其逢濕甚也陽氣少陰氣盛兩氣相感故汗出而濡也

中表相應則相感也

帝曰夫痺之爲病不痛何也岐伯曰痺在於骨則重在於脉則血凝而不流在於筋則屈不伸在於肉則不仁在皮則寒故具此五者則不痛也凡痺之類逢寒則蟲逢熱則縱帝曰善

蟲謂皮中如蟲行縱謂縱緩不相就○新校正云按甲乙經蟲作急

○痿論篇第四十四

新校正云按全元起本在第四卷黄帝問曰五藏使人痿何也痿謂痿弱無力以運動

岐伯對曰肺主身之皮毛心主身之血脉肝主身之筋膜新校正云按全元起本云膜者人皮下肉上筋膜也脾主身之肌肉腎主身之骨髓所主不同痿生亦各歸其所主故肺熱葉焦則皮毛虛弱急薄著則生痿躄也躄謂攣躄足不得伸以行也肺熱則腎受熱氣故爾躄必亦反

心氣熱則下脉厥而上上則下脉虛虛則生脉痿樞折挈脛縱而不任地也

心熱盛則火獨光火獨光則火炎上腎之脉常下行今火盛而上炎用事故腎脉亦隨火炎爍而逆上行也陰氣厥逆火復內爚陰上隔陽下不守位心氣通脉故生脉痿腎氣主之故膝䯒樞紐如折去而不相提挈脛筋縱緩而不能任用於地也

肝氣熱則膽泄口苦筋膜乾筋膜乾則筋急而攣發爲筋痿

膽約肝葉而汁味至苦故肝熱則膽液滲泄膽病則口苦今膽液滲泄故口苦也肝主筋膜故熱則筋膜乾而攣急發爲筋痿也八十一難經曰膽在肝短葉間下

脾氣熱則胃乾而渴肌肉不仁發爲肉痿

脾與胃以膜相連脾氣熱則胃液滲泄故乾而渴也脾主肌肉今熱薄於内故肌肉不仁而發爲肉痿

腎氣熱則腰脊不舉骨枯而髓減發爲骨痿

腰爲腎府又腎脉上股内貫脊屬腎故腎氣熱則腰脊不舉也腎主骨髓故熱則骨枯而髓減發則爲骨痿也

帝曰何以得之歧伯曰肺者藏之長也爲心之蓋也

位高而布葉於胷中是故爲藏之長心之蓋

有所失亡所求不得則發肺鳴鳴則肺熱葉焦

志若不揚氣鬱故也肺藏氣氣鬱不利故喘息有聲而肺熱葉焦也

故曰五藏因肺熱葉焦發爲痿躄此之謂也

肺者所以行榮衛治陰陽故引曰五藏因肺熱而發爲痿躄也

悲哀太甚則胞絡絶胞絡絶則陽氣内動發則心下崩數溲血也

悲則心系急肺布葉舉而上焦不通榮衛不散熱氣在中故胞絡絶而陽氣内鼓動發則心下崩數溲血也心下崩謂心包内崩而下血也溲謂溺也○新校正云按楊上善云胞絡者心上胞絡之脉也詳經注中胞字俱當作包全本胞又作肌也

故本病曰大經空虛發爲肌痺傳爲脉痿

本病古經論篇名也大經謂大經脉也以心崩溲血故大經空虛脉空則熱内薄衛氣盛榮氣微故發爲肌痺也先見肌痺後漸脉痿故曰傳爲脉痿也

思想無窮所願不得意淫於外入房大甚宗筋弛縱發爲筋痿及爲白淫

思想所願爲所欲也施瀉勞損故爲筋痿及白淫也白淫謂白物淫衍如精之狀男子溺溲而下女子陰器中綿綿而下也

故下經曰筋痿者生於肝使內也

下經上古之經名也使內謂勞役陰力費竭精氣也

有漸於濕以水爲事若有所留居處相濕肌肉濡漬痺而不仁發爲肉痿

業惟近濕居處澤下皆水爲事也平者久而猶殆感之者尤甚矣肉屬於脾脾氣惡濕濕著於肉則衛氣不榮故爲肉痿也

故下經曰肉痿者得之濕地也陰陽應象大論曰地之濕氣感則害皮肉筋脉此之謂害肉也有所遠行勞倦逢大熱而渴渴則陽氣內伐內伐則熱舍於腎腎者水藏也今水不勝火則骨枯而髓虚故足不任身發爲骨痿陽氣內伐謂伐腹中之陰氣也水不勝火以熱舍於腎中也故下經曰骨痿者生於大熱也腎性惡燥熱反居中熱薄骨乾故骨痿無力也帝曰何以别之岐伯曰肺熱者色白而毛敗心熱者色赤而絡脉溢肝熱者色蒼而爪枯脾熱

者色黃而肉蠕動腎熱者色黑而齒槁

各求藏色及所主養
而命之則其應也

帝曰如夫子言可矣論言治痿者獨取陽明何也岐伯曰陽明者五藏六府之海

陽明胃脉也胃
爲水谷之海

主潤宗筋宗筋主束骨而利機關也

宗筋謂陰髦中横骨上下之竪筋也上絡胷
腹下貫髖尻又經於背腹上頭項故云宗筋
主束骨而利機關也然腰者身之大關即
所以司屈伸故曰機關髖音寬尻枯敖反

衝脉者經脉之海也

靈樞經曰衝脉
者十二經之海

主滲灌谿谷與陽明合於宗筋

尋此則橫骨上下臍兩傍竪筋正宗筋也衝脉循腹俠臍傍各同身寸之五分而上陽明脉亦俠臍傍各同身寸之一寸五分而上宗筋脉於中故云與陽明合於宗筋也以爲十二經海故主滲灌谿谷也肉之大會爲谷小會爲谿○新校正云詳宗筋脉於中一作宗筋縱於中

陰陽總宗筋之會會於氣街而陽明爲之長皆屬於帶脉而絡於督脉

宗筋聚會會於橫骨之中從上而下故云陰陽總宗筋之會也宗筋俠臍下合於橫骨陽明輔其外衝脉居其中故云會於氣街而陽明爲之長也氣街則陰髦兩傍脉動處也帶脉者起於季脇回身一周而絡於督脉也督脉者起於關元上下循腹故云皆屬於帶脉

而絡於督脉也督脉任脉衝脉三脉者同起而異行故經文或參差而引之

故陽明虛則宗筋縱帶脉不引故足痿不用也

陽明之脉從缺盆下乳內廉下俠臍至氣街中其支別者起胃下口循腹裏下至氣街中而合以下髀抵伏兎下入膝臏中下循䯒外廉下足跗入中指內間其支別者下膝三寸而別以下入中指外間故陽明虛則宗筋縱緩帶脉不引而足痿弱不可用也引謂牽引

臏音牝

帝曰治之柰何岐伯曰各補其滎而通其俞調其虛實和其逆順筋脉骨肉各以其時受月則病已矣帝曰善

時受月謂受氣時月也如肝王甲乙心王丙丁脾王戊己肺王庚辛腎王壬癸皆王氣法

也時受月則正謂五常受氣月也

○厥論篇第四十五

新校正云按全元起本在第五卷

黄帝問曰厥之寒熱者何也

厥謂氣逆上也世謬傳爲脚氣廣飾方論焉

岐伯對曰陽氣衰於下則爲寒厥陰氣衰於下則爲熱厥

陽謂足之三陽脉陰謂足之三陰脉下謂足也

帝曰熱厥之爲熱也必起於足下者何也

陽主外而厥在内故問之

岐伯曰陽氣起於足五指之表陰脉者集於足下而聚於足心故陽氣勝則足下熱也大約而言之足太陽脉出於足小指之端外側足少陽脉出於足小指次指之端足陽明脉出於足中指及大指之端並循足陽而上肝脾腎脉集於足下聚於足心陰弱故足下熱也○新校正云按甲乙經陽氣起於足作走於足起當作走

帝曰寒厥之爲寒也必從五指而上於膝者何也陰主内而厥在外故問之

岐伯曰陰氣起於五指之裏集於膝下而聚於膝上故陰氣勝則從五指至膝上寒其寒也不

從外皆從內也

亦大約而言之也足太陰脉起於足大指之端內側足厥陰脉起於足大指之端三毛中足少陰脉起於足小指之下斜趣足心並循足陰而上循股陰入腹故云集於膝下而聚於膝之上也

帝曰寒厥何失而然也岐伯曰前陰者宗筋之所聚太陰陽明之所合也

宗筋俠臍下合於陰器故云前陰者宗筋之所聚也太陰者脾脉陽明者胃脉脾胃之脉皆輔近宗筋故云太陰陽明之所合○新校正云按甲乙經前陰者宗筋之所聚作厥陰者衆筋之所聚全元起云前陰者厥陰也與王註義異亦自一説

春夏則陽氣多而陰氣少秋冬則陰氣盛而陽

氣衰此乃天之常道

此人者質壯以秋冬奪於所用下氣上爭不能復精氣溢下邪氣因從之而上也質謂形質也奪於所用謂多欲而奪其精氣也

氣因於中新校正云按甲乙經氣因於中作所中

陽氣衰不能滲營其經絡陽氣日損陰氣獨在故手足爲之寒也帝曰熱厥何如而然也源其所由爾

岐伯曰酒入於胃則絡脉滿而經脉虛脾主爲胃行其津液者也陰氣虛則陽氣入陽氣入則胃不和胃不和則精氣竭精氣竭則不營其四支也

前陰爲太陰陽明之所合故胃不和則精氣竭也内精不足故四支無氣以營之

此人必數醉若飽以入房氣聚於脾中不得散酒氣與穀氣相薄熱盛於中故熱遍於身内熱而溺赤也夫酒氣盛而慓悍腎氣日衰陽氣獨勝故手足爲之熱也

醉飽入房内亡精氣中虛熱入由是腎衰陽盛陰虛故熱生於手足也

帝曰厥或令人腹滿或令人暴不知人或至半日遠至一日乃知人者何也暴猶卒也言卒然冒悶不醒覺也不知人謂悶甚不知識人也或謂尸厥

岐伯曰陰氣盛於上則下虛下虛則腹脹滿陽氣盛於上則下氣重上而邪氣逆逆則陽氣亂陽氣亂則不知人也陰謂足太陰氣○新校正云按甲乙經陽氣盛於上五字作腹滿二字當從甲乙經之說何以言之別按甲乙經云陽脉下墜陰脉上爭發尸厥焉有陰氣盛於上而又言陽氣盛於上又按張仲景云少陰脉不至腎氣微少精血奔氣促迫上入胷鬲宗氣反聚血結心下陽氣退下熱歸陰股與陰相動令身不仁此爲尸厥仲景言陽氣退下則是陽氣不得

盛於上故知當從甲乙經也又王註陰謂足太陰亦爲未盡按謬刺論云邪客於手足少陰太陰足陽明之絡此五絡皆會於耳中上絡左角五絡俱竭令人身脉皆動而形無知其狀若尸或曰尸厥焉得専解陰爲太陰也

帝曰善願聞六經脉之厥狀病能也爲前問解故請備聞諸經厥也

岐伯曰巨陽之厥則腫首頭重足不能行發爲眴仆巨陽太陽也足太陽脉起於目内眥上額交巔上其支別者從巔至耳上角其直行者從巔入絡腦還出別下項循肩髆内俠脊抵腰中入循膂絡腎屬膀胱其支別者從腰中下貫臀入膕中其支別者從髆内左右別下貫胂過髀樞循髀外後廉下合膕中以下貫腨

內出外踝之後循京骨至小指之端外側由是厥逆外形斯證也腫或作踵非

陽明之厥則癲疾欲走呼腹滿不得卧面赤而熱妄見而妄言

足陽明脉起於鼻交頞中下循鼻外入上齒中還出俠口環脣下交承漿却循頤後下廉出大迎循頰車上耳前過客主人循髮際至額顱其支別者從大迎前下人迎循喉嚨入缺盆下鬲屬胃絡脾其直行從缺盆下乳內廉下俠臍入氣街中其支別者起胃下口循復裏下至氣街中而合以下髀抵伏兔下入膝髕中下循胻外廉下足跗入中指內間其支別者下膝三寸而別以下入中指外間其支別者跗上入大指間出其端故厥如是也癲一爲巔非

少陽之厥則暴聾頰腫而熱脇痛胻不可以運

足少陽脉起於目銳眥上抵頭角下耳後循頸行手少陽之前至肩上交出手少陽之後入缺盆其支別者從耳後入耳中出走耳前至目銳眥後其支別者目銳眥下大迎合手少陽於頞下加頰車下頸合缺盆以下胷中貫鬲絡肝屬膽循脇裏出氣街遶髦際横入髀厭中其直行者從缺盆下腋循胷過季脇下合髀厭中以下循髀陽出膝外廉下入外輔骨之前直下抵絶骨之端下出外踝之前循足跗出小指次指之端故厥如是

太陰之厥則腹滿䐜脹後不利不欲食食則嘔不得卧

足太陰脉起於大指之端上膝股内前廉入腹屬脾絡胃上鬲俠咽連舌本散舌下其支別者復從胃別上鬲注心中故厥如是

少陰之厥則口乾溺赤腹滿心痛

足少陰脉上股內後廉貫脊屬腎絡膀胱其直行者從腎上貫肝鬲入肺中循喉嚨俠舌本其支别者從肺出絡心注胷中故厥如是

厥陰之厥則少腹腫痛腹脹涇溲不利好卧屈膝陰縮腫胻內熱

足厥陰脉去內踝一寸上踝八寸交出太陰之後上膕內廉循股陰入髦中下環陰器抵少腹俠胃屬肝絡膽上貫鬲故厥如是矣胻內熱一本云胻外熱傳寫行書內外誤也

盛則寫之虛則補之不盛不虛以經取之

不盛不虛謂邪氣未盛真氣未虛如是則以穴俞經法留呼多少而取之

太陰厥逆胻急攣心痛引腹治主病者

足太陰脉起於大指之端循指內側上內踝前廉上腨內循胻骨後上膝股內前廉入腹

其支别者復從胃别上鬲注心中故胕急攣心痛引腹也太陰之脉行有左右候其有過者當發取之故言治主病者○新校正云詳從大陰厥逆至篇末全元起本在第九卷王氏移於此

少陰厥逆虛滿嘔變下泄清治主病者以其脉從腎上貫肝鬲入肺中循喉嚨故如是

厥陰厥逆攣腰痛虛滿前閉譫言新校正云按全元起云譫言者氣虛獨言也譫音儼

治主病者以其脉循股陰入髦中環陰器復上循喉嚨之後絡舌本故如是○新校正云按甲乙經厥陰之經不絡舌本王氏注刺熱篇刺腰痛篇并此三註俱云絡舌本又註風論痺論各

不云絡舌本王註自有
異同當以甲乙經爲正

三陰俱逆不得前後使人手足寒三日死

三陰絕故
三日死

太陽厥逆僵仆嘔血善衄治主病者

以其脉起目内眥又循脊絡
腦故如是僵居良反仆音付

少陽厥逆機關不利機關不利者腰不可以行

項不可以顧

以其脉循頸下繞髦際
横入髀厭中故如是

發腸癰不可治驚者死

足少陽脉貫鬲絡肝屬膽循脇裏出氣街
發腸癰則經氣絶故不可治驚者死也

陽明厥逆喘欬身熱善驚衄嘔血

以其脉循喉嚨入缺盆下鬲屬胃絡脾故如是

手太陰厥逆虛滿而欬善嘔沫治主病者

手太陰脉起於中焦下絡大腸還循胃口上鬲屬肺故如是

手心主少陰厥逆心痛引喉身熱死不可治

手心主脉起於胷中出屬心包手少陰脉其支別者從心系上俠咽喉故如是

手太陽厥逆耳聾泣出項不可以顧腰不可以俛仰治主病者

手太陽脉支別者從缺盆循頸上頰至目銳眥却入耳中其支別者從頰上䪼抵鼻至目內眥故耳聾泣出項不可以顧也腰不可以俛仰脉不相應恐古錯簡文

手陽明少陽厥逆發喉痺嗌腫痓治主病者

手陽明脉支別者從缺盆上頸手少陽脉支別者從膻中上出缺盆上項故如是○新校正云按全元起本痓作痙

新刊補註釋文黃帝內經素問卷之六

黄帝素問 七

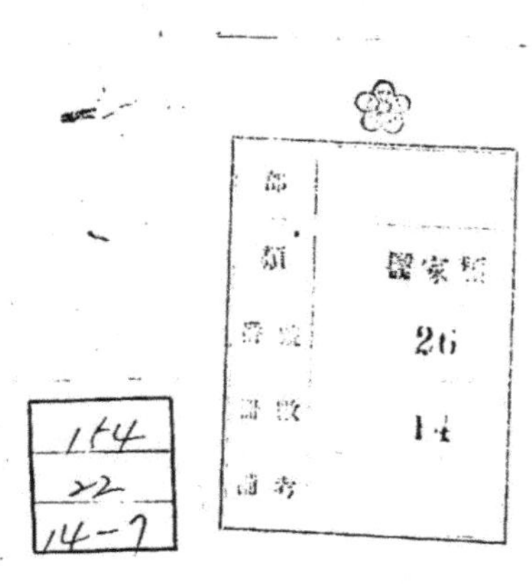

新刊補註釋文黃帝內經素問卷之七

○病能論篇第四十六

新校正云按全元起本在第五卷

黃帝問曰人病胃脘癰者診當何如岐伯對曰診此者當候胃脈其脈當沉細沉細者氣逆

胃者水穀之海其血盛氣壯今反脈沉細者是逆常平也○新校正云按甲乙經沉細作沉濇大素作沉細

逆者人迎甚盛甚盛則熱

沉細為寒寒氣格陽故人迎脈盛人迎者陽明之脈故盛則熱也人迎謂結喉傍脈動應手者

人迎者胃脉也胃脉循喉嚨而入缺盆故云人迎者胃脉也逆而盛則熱聚於胃口而不行故胃脘爲癰也血氣壯盛而熱內薄之兩氣合熱故結爲癰也

帝曰善人有卧而有所不安者何也岐伯曰藏有所傷及精有所之寄則安故人不能懸其病也五藏有所傷損及之水穀精氣有所之寄扶其下則卧安以傷及於藏故人不能懸其病處於空中也○新校正云按甲乙經精有所之寄則安作情有所倚則卧不安大素作精有所倚則不安

帝曰人之不得偃卧者何也

謂不得仰卧也

岐伯曰肺者藏之盖也

居高布葉四藏下之故言肺者藏之盖也

肺氣盛則脉大脉大則不得偃卧

肺氣盛滿偃卧則氣促喘奔故不得偃卧也

論在奇恒陰陽中

奇恒陰陽上古經篇名世本闕

帝曰有病厥者診右脉沉而緊左脉浮而遲不然病主安在

不然言不沉也○新校正云按甲乙經不然作不知

岐伯曰冬診之右脉固當沉緊此應四時左脉浮而遲此逆四時在左當主病在腎頗關在肺當腰痛也

以冬左脉浮而遲浮爲肺脉故言頗關在肺也腰者腎之府故腎受病則腰中痛也

帝曰何以言之岐伯曰少陰脉貫腎絡肺今得肺脉腎爲之病故腎爲腰痛之病也

左脉浮遲非肺來見以左腎不足而脉不能沉故得肺脉腎爲病也

帝曰善有病頸癰者或石治之或鍼灸治之而皆已其眞安在

言所攻則異所愈則同故問真法何所在也

岐伯曰此同名異等者也

言雖同曰頸癰然其皮中別異不一等也故下云

夫癰氣之息者宜以鍼開除去之夫氣盛血聚者宜石而寫之此所謂同病異治也

息瘜也死肉也石砭石也可以破大癰出膿今以鈹鍼代之

帝曰有病怒狂者

新校正云按太素怒狂作善怒

此病安生岐伯曰生於陽也帝曰陽何以使人狂

怒不應禍故謂之狂

岐伯曰陽氣者因暴折而難決故善怒也病名曰陽厥

言陽氣被折鬱不散也此人多怒亦曾因暴折而心不疏暢故爾如是者皆陽逆躁極所生故病名陽厥

帝曰何以知之岐伯曰陽明者常動巨陽少陽不動不動而動大疾此其候也

言頸項之脉皆動不止也陽明常動者動於結喉傍是謂人迎氣舍之分位也若以少陽之動動於曲頰下是謂天窓天牖之分位也若巨陽之動動於項兩傍大筋前陷者中是謂天柱天容之分位也不應常動而反動甚動當病也○新校正云詳王註以天窓為少

陽之分位天容爲太陽之分位按甲乙經天窓乃大陽脉氣所發天容乃少陽脉氣所發一位交互當以甲乙經爲正也

帝曰治之奈何岐伯曰奪其食即已夫食入於陰長氣於陽故奪其食即已食少則氣衰故節去其食即病自止○新校正云按甲乙經奪作衰太素同也

使之服以生鐵洛爲飲新校正云按甲乙經鐵洛作鐵落爲飲作爲後飯

夫生鐵洛者下氣疾也之或爲人傳文誤也鐵洛味辛微溫平主治下氣方俗或呼爲鐵漿非是生鐵液也

帝曰善有病身熱解墮汗出如浴惡風少氣此

爲何病岐伯曰病名曰酒風飲酒中風者也風論曰飲酒中風則爲偏風是亦名偏風也夫極飲者陽氣盛而腠理踈玄府開發陽盛則筋痿弱故身體解墮也腠理踈則風內攻玄府發則氣外泄故汗出如浴也風氣外薄膚腠理開汗多內虛瘁熱熏肺故惡風少氣也因酒而病故曰酒風[illegible]音介[illegible]徒咼反

帝曰治之柰何岐伯曰以澤瀉朮各十分麋銜五分合以三指撮爲後飯朮味苦溫平主治大風止汗麋銜味苦寒平主治風濕筋痿澤瀉味甘寒平主治風濕益氣由此功用方故先之飯後藥先謂之後飯

所謂深之細者其中手如鍼也摩之切之聚者

堅也博者大也上經者言氣之通天也下經者言病之變化也金匱者決死生也揆度者切度之也奇恒者言奇病也所謂奇者使奇病不得以四時死也恒者得以四時死也新校正云按楊上善云得病傳之至於勝時而死此為恒中生喜怒令病次傳者此為奇所謂揆者方切求之也言切求其脈理也度者得其病處以四時度之也凡言所謂者皆釋未了義今此所謂尋前後經文悉不與此篇義相接似今數句少成文義者終是別釋經文世本既闕第七二篇應彼闕經錯簡文也古文斷裂謬續於此

○奇病論篇第四十七

新校正云按全元起本在第五卷

黃帝問曰人有重身九月而瘖此爲何也

重身謂身中有身則懷姙者也瘖謂不得言語也姙娠九月足少陰脉養胎約氣斷則瘖不能言也

岐伯對曰胞之絡脉絕也

絕謂脉斷絕而不通流而不能言非天眞之氣斷絕也

帝曰何以言之岐伯曰胞絡者繫於腎少陰之脉貫腎繫舌本故不能言

少陰腎脉也氣不營養故舌不能言

帝曰治之柰何岐伯曰無治也當十月復

十月胎去胞絡復通腎脉上營故復舊而言也

刺法曰無損不足益有餘以成其疹

疹謂久病反法而治則胎死不去遂成久固之疹病

然後調之

新校正云按甲乙經及太素無此四字按全元起註云所謂不治者其身九月而瘖身重不得爲治須十月滿生後復如常也然後調之則此四字本全元起註文誤書於此當刪去之

所謂無損不足者身羸瘦無用鑱石也

姙娠九月筋骨瘦勞力少身重又拒於穀故身形羸瘦不可以鑱石傷也鑱鋤銜反

無益其有餘者腹中有形而泄之泄之則精出

而病獨擅中故曰疹成也胎約胞絡腎氣不通因而泄之腎精隨出精液內竭胎則不全胎死腹中著而不去由此獨擅故疹成焉

帝曰病脇下滿氣逆二三歲不已是為何病岐伯曰病名曰息積此不妨於食不可灸刺積為導引服藥藥不能獨治也腹中無形脇下逆滿頻歲不愈息且形之氣逆息難故名息積也氣不在胃故不妨於食也灸之則火熱內爍氣化為風刺之則必寫其經轉成虛敗故不可灸刺是可積為導引使氣流行久以藥攻內消瘀稸則可矣若獨憑其藥而不積為導引則藥亦不能獨治之也

帝曰：人有身體髀股胻皆腫，環臍而痛，是爲何病？岐伯曰：病名曰伏梁。以衝脉病，故名曰伏梁。然衝脉者，與足少陰之絡起於腎下，出於氣街，循陰股內廉，斜入膕中，循胻骨內廉，並足少陰經下入內踝之後，入足下；其上行者，出臍下同身寸之三寸關元之分，俠臍直上，循腹各行，會於咽喉。故身體髀皆腫，繞臍而痛，名曰伏梁。環，謂圓繞如環也。

此風根也。其氣溢於大腸而著於肓，肓之原在臍下，故環臍而痛也。大腸，廣腸也。經說大腸，當言迴腸也。何者？靈樞經曰：迴腸當臍右環，回周葉積而下；廣腸附脊以受迴腸，左環葉積上下，辟大。尋此則是迴腸，非應言大腸也。然大腸、迴腸俱與肺

合從合而命故通曰大腸也

不可動之動之爲水溺濇之病也

以衝脉起於腎下出於氣街其上行者起於胞中上出臍下關元之分故動之則爲水而溺濇也動謂齊其毒藥而擊動之使其大下也此一問荅之義與腹中論同以爲奇病故重出於此

帝曰人有尺脉數甚筋急而見此爲何病

筋急謂掌後尺中兩筋急也脉要精微論曰尺外以候腎尺裏以候腹中今尺脉數急脉數爲熱熱當筋緩反尺中筋急而見腹中筋當急故問爲病乎靈樞經曰熱即筋緩寒即筋急

岐伯曰此所謂疹筋是人腹必急白色黑色見

則病甚

腹急謂俠臍腎筋俱急以尺裏候腹中故見尺中筋急則必腹中拘急矣色見謂見於面部也夫相五色者白爲寒黑爲寒故二色見病彌甚也

帝曰人有病頭痛以數歲不已此安得之名爲何病

頭痛之疾不當踰月數年不愈故怪而問之

岐伯曰當有所犯大寒內至骨髓髓者以腦爲主腦逆故令頭痛齒亦痛

夫腦爲髓主齒是骨餘腦逆反寒骨亦寒寒故令頭痛齒亦痛

病名曰厥逆帝曰善

全註人先生於腦緣有腦則有骨髓齒者骨之本也

帝曰有病口甘者病名爲何何以得之岐伯曰此五氣之溢也名曰脾癉

癉謂熱也脾熱則四藏同禀故五氣上溢也生因脾熱故曰脾癉

夫五味入口藏於胃脾爲之行其精氣津液在脾故令人口甘也

脾熱內滲津液在脾胃穀化餘精氣隨溢口通脾氣故口甘津液在脾是脾之濕

此肥美之所發也

新校正云按太素發作致

此人必數食甘美而多肥也肥者令人內熱甘

令人中滿故其氣上溢轉爲消渴食肥則腠理密陽氣不得外泄故肥令人內熱甘者性氣和緩而發散遲故甘令人中滿然內熱則陽氣炎上炎上則欲飲而嗌乾中滿則陳氣有餘有餘則脾氣上溢故曰其氣上溢轉爲消渴也陰陽應象大論曰辛甘發散爲陽靈樞經曰甘多食之令人悶然從中滿以生之○新校正云按甲乙經消渴作消癉

治之以蘭除陳氣也蘭謂蘭草也神農曰蘭草味辛熱平利水道辟不祥胷中痰澼也除謂去也陳謂久也言蘭除陳久甘肥不化之氣者以辛能發散故也藏氣法時論曰辛者散也○新校正云按本草蘭性平不言熱

帝曰有病口苦取陽陵泉口苦者病名爲何何

以得之岐伯曰病名曰膽癉

亦謂熱也膽汁味苦故口苦○新校正云按全元起本及太素無口苦取陽陵泉六字詳前後文勢疑此爲誤

夫肝者中之將也取決於膽咽爲之使

靈蘭秘典論曰肝者將軍之官謀慮出焉膽者中正之官決斷出焉肝與膽合氣性相通故諸謀慮取決於膽咽膽相應故咽爲使焉○新校正云按甲乙經曰膽者中精之府五藏取決於膽咽爲之使疑此文誤

此人者數謀慮不決故膽虛氣上溢而口爲之苦治之以膽募俞

胸腹曰募背脊曰俞膽募在乳下二肋外期門下同身寸之五分俞在脊第十推下兩傍

相去各同身寸之一寸半

治在陰陽十二官相使中

言治法具於彼篇今經已亡

帝曰有癃者一日數十溲此不足也身熱如炭

頸膺如格人迎躁盛喘息氣逆此有餘也

是陽氣太盛於外陰氣不足故有餘也○新校正云詳此十五字舊作文寫按甲乙經太素並無此文再詳乃是全元起註後人誤書於此今作註書

太陰脉細微如髮者此不足也其病安在名為何病

癃小便不得也溲小便也頸膺如格言頸與胸膺如相格拒不順應也人迎躁盛謂結喉

兩傍脉動盛滿急數非常躁速也胃脉也一太陰脉細微如髮者謂手大指後同身寸之一寸骨高脉動處脉則肺脉也此正手太陰脉氣之所流可以候五藏也

岐伯曰病在太陰其盛在胃頗在肺病名曰厥死不治

病癃數溲身熱如炭頸膺如格息氣逆者皆手太陰脉當洪大而數今大陰脉反微細如髮者是病與脉相反也何以致之肺氣逆陵於胃而爲是上使人逆躁盛也故曰肺病在太陰其盛在胃也以喘息氣逆故云頗亦在肺也病因氣逆證不相應故病名曰厥死不治也

此所謂得五有餘二不足也帝曰何謂五有餘二不足岐伯曰所謂五有餘者五病之氣有餘

也二不足者亦病氣之不足也今外得五有餘内得二不足此其身不表不裏亦正死明矣外五有餘者一身熱如炭二頸膺如格三人迎躁盛四喘息五氣逆也内二不足者一病癃一日數十溲二太陰脉微細如髮夫如是者謂其病在表則内有二不足謂其病在裏則外得五有餘表裏既不可憑補寫固難爲法故曰此其身不表不裏亦正死明矣

帝曰人生而有病巔疾者病名曰何安所得之夫百病者皆生於風雨寒暑陰陽喜怒也然始生有形未犯邪氣已有巔疾豈邪氣素傷耶故問之巔謂上巔則頭首也

岐伯曰病名爲胎病此得之在母腹中時其母有所大驚氣上而不下精氣并居故令子發爲

顛疾也精氣謂陽之精氣也

帝曰有病痝然如有水狀切其脉大緊身無痛者形不瘦不能食食少名爲何病痝然謂面目浮起而色雜也大緊謂如弓弦也大即爲氣緊即爲寒寒氣内薄而反無痛與衆别異常故問之也

岐伯曰病生在腎名爲腎風脉如弓弦大而且緊勞氣内稸寒復内争勞氣薄寒故化爲風風勝於腎故曰腎風

腎風而不能食善驚驚已心氣痿者死腎水受風心火痿弱火水俱困故必死

帝曰善

○大奇論篇第四十八

新校正云按全元起本在第九卷

肝滿腎滿肺滿皆實即爲腫

滿謂脉氣滿實也腫謂癰腫也藏氣滿乃如是

肺之雍喘而兩胠滿

肺藏氣而外主息其脉支别者從肺系横出腋下故喘而兩胠滿也○新校正云詳肺雍

肝雍腎雍甲乙經俱作癰

肝雍兩胠滿臥則驚不得小便

肝之脉循股陰入髦中環陰器抵少腹上貫肝鬲布脇肋故胠滿不得小便也肝主驚駭

故臥則驚

腎雍脚下至少腹滿

新校正云按甲乙經胕下作胠下脚當作胠不得言脚下至少腹也

脛有大小髀胻大跛易偏枯

衝脉者經脉之海與少陰之絡俱起於腎下出於氣街循陰股內廉斜入膕中循胻骨內廉並少陰之經下入內踝之後入足下其上行者出齊下同身寸之三寸故如是若血氣變易爲偏枯也

心脉滿大癇瘛筋攣

心脉滿大則肝氣下流熱氣內薄筋乾血涸故癇瘛而筋攣

肝脉小急癇瘛筋攣

肝養筋內藏血肝氣受寒故癇瘛而筋攣脉小急者寒也

肝脉騖暴有所驚駭

騖謂馳騖言其迅急也陽氣內薄故發爲驚也

脉不至若瘖不治自已

肝氣若厥厥則脉不通厥退則脉復通矣又其脉布脇肋循喉嚨之後故脉不至若瘖不治亦自已

腎脉小急肝脉小急心脉小急不鼓皆爲瘕

小急爲寒甚不鼓則血不流血不流而寒薄故血內凝而爲瘕也

腎肝并沉爲石水

肝脉入陰內貫少腹腎脉貫脊中絡膀胱兩藏并藏氣熏衝脉自腎下絡於胞令水不行

化故堅而結然腎主水水冬水水宗於腎腎象水而沉故氣并而沉名爲石水○新校正云詳腎肝並沉至下并小弦欲驚全元起本在厥論中王氏移於此

并浮爲風水

脉浮爲風下焦主水風薄於下故名風水

并虛爲死

腎爲五藏之根肝爲發生之主二者不足是生主俱微故死

并小弦欲驚

脉小弦爲肝腎俱不足故爾

腎脉大急沉肝脉大急沉皆爲疝

疝者寒氣結聚之所爲也夫脉沉爲實脉急爲痛氣實寒薄聚故爲絞痛爲疝

心脉搏滑急爲心疝肺脉沉搏爲肺疝皆寒薄於藏故也

三陽急爲瘕三陰急爲疝太陽受寒血凝爲瘕太陰受寒氣聚爲疝

二陰急爲癎厥二陽急爲驚二陰少陰也二陽陽明也○新校正云詳三陽急爲瘕至此全元起本在厥論王氏移於此

脾脉外鼓沉爲腸澼久自已外鼓謂鼓動於臂外也

肝脉小緩爲腸澼易治

肝脉小緩爲脾乘肝故易治

腎脉小搏沉爲腸澼下血

小爲陰氣不足搏爲陽氣乘之熱在下焦故下血也

血温身熱者死

血温身熱是陰氣衰敗故死

心肝澼亦下血

肝藏血心養血故澼皆下血也

二藏同病者可治

心火肝木木火相生故可治之

其脉小沉濇爲腸澼

心肝脉小而沉濇者辟也

其身熱者死熱見七日死

腸澼下血而身熱者是火氣內絕去心而歸於外也故死火成數七故七日死

胃脉沉鼓濇胃外鼓大心脉小堅急皆鬲偏枯

外鼓謂不當尺寸而鼓擊於臂外側也

男子發左女子發右

陽主左陰主右故爾陰陽應象大論曰左右者陰陽之道路此其義也

不瘖舌轉可治三十日起

偏枯之病瘖不能言腎與胞脉內絕也胞脉繫於腎腎之脉從腎上貫肝鬲入肺中循喉嚨俠舌本故氣內絕則瘖不能言也

其從者瘖三歲起

從謂男子發左女子發右也病順左右而瘖不能言三歲治之乃能起

年不滿二十者三歲死

以其五藏始定血氣方剛藏始定則易傷氣方剛則甚費易傷甚費故三歲死

脉至而搏血衂身熱者死

血衂爲虚脉不應搏今反脉搏是氣極乃然故死

脉來懸鉤浮爲常脉

以其爲血衂者之常脉也

脉至如喘名曰暴厥

喘謂卒來盛急去而便衰如人之喘狀也

暴厥者不知與人言

所謂暴厥之候如此

脉至如數使人暴驚

脉數爲熱熱則内動肝心故驚

三四日自已

數爲心脉木被火干病非肝生不與邪合故三日後四日自除所以爾者木生數三也

脉至浮合

如浮波之合後至者凌前速疾而動無常候也

浮合如數一息十至以上是經氣予不足也微見九十日死脉至如火薪然是心精之予奪也

草乾而死 薪然之火燄燄不定其形而便絕也燄弋念反

脉至如散葉是肝氣予虛也木葉落而死 如散葉之隨風不常其狀○新校正云按甲乙經散葉作叢棘

脉至如省客省客者脉塞而鼓是腎氣予不足也懸去棗華而死 脉塞而鼓謂纔見不行旋復去也懸謂如懸物物動而絕去也

脉至如丸泥是胃精予不足也榆莢落而死 如珠之轉是謂丸泥

脉至如横格是膽氣予不足也禾熟而死

脉至如弦縷，是胞精予不足也。脉長而堅，如撗木之在指下也。病善言，下霜而死，不言可治。胞之脉繫於腎，腎之脉俠舌本，今氣不足者，則當不能言，今反善言，是眞氣內絶，去腎外歸於舌也，故死。

脉至如交漆，交漆者，左右傍至也，微見三十日死。左右傍至，言如壓漆之交，左右反戾。〇新校正云：按《甲乙經》交漆作交棘。

脉至如涌泉，浮鼓肌中，太陽氣予不足也，少氣味，韭英而死。如水泉之動，但出而不入。

脉至如頽土之狀按之不得是肌氣予不足也五色先見黑白壘發死頽土之狀謂浮之大而虛而大按之則無○新校正云按甲乙經頽土作委土

脉至如懸雍懸雍者浮揣切之益大是十二俞之予不足也水凝而死如顙中之懸雍也○新校正云按全元起本懸雍作懸離元起註云懸離者言脉與肉不相得也

脉至如偃刀偃刀者浮之小急按之堅大急五藏菀熟寒熱獨并於腎也如此其人不得坐立春而死

委積也熱熟也

脈至如丸滑不直手不直手者按之不可得也是大腸氣予不足也棗葉生而死脈至如華者令人善恐不欲坐卧行立常聽是小腸氣予不足也季秋而死

脈至如華謂似華虛弱不可正取也小腸之脈上入耳中故常聽也

○脈解篇第四十九

新校正云按全元起本在第九卷

太陽所謂腫腰脽痛者正月太陽寅寅太陽也

脽謂臀肉也正月三陽生主建寅三陽謂之太陽故曰寅太陽也

正月陽氣出在上而陰氣盛陽未得自次也

正月雖三陽生而天氣尚寒以其尚寒故曰陰氣盛陽未得自次次謂立王之次也

故腫腰脽痛也

以其脉抵腰中入貫臀過髀樞故爾

病偏虚為跛者正月陽氣東解地氣而出也所

謂偏虚者冬寒頗有不足者故偏虚為跛也

以其脉循股内後廉合膕中下循腨過外踝之後循京骨至小指外側故也○新校正詳王氏其脉循股内殊非按甲乙經太陽流注不到股内股内乃髀外之誤當云髀外後廉

所謂強上引背者陽氣大上而争故強上也

強上謂頸項禁強也甚則引背矣所以爾者以其脉從腦出别下項背故也

所謂耳鳴者陽氣萬物盛上而躍故耳鳴也

以其脉支别者從巔至耳上角故爾

所謂甚則狂巔疾者陽盡在上而陰氣從下下虛上實故狂巔疾也

以其脉上額交巔上入絡腦還出其支别者從巔至耳上角故狂巔疾也頂上曰巔

所謂浮爲聾者皆在氣也

亦以其脉至耳故也

所謂入中爲瘖者陽盛已衰故爲瘖也

陽氣盛入中而薄於胞腎則胞絡腎絡氣不通故瘖也胞之脉繫於腎腎之脉俠舌本故瘖不能言

内奪而厥則爲瘖俳此腎虛也

俳廢也腎之脉與衝脉並出於氣街循陰股内廉斜入膕中循胻骨内廉及内踝之後入足下故腎氣内奪而不順則舌瘖足廢故云此腎虛也○新校正云詳王註云腎之脉與衝脉並出按甲乙經是腎之絡非腎之脉况王註痿論并奇病論大奇論並云腎之絡則此脉字當爲絡

少陰不至者厥也

少陰腎脉也若腎氣内脫則少陰脉不至也少陰之脉不至則大陰之氣逆上而行也

少陽所謂心脇痛者言少陽盛也盛者心之所表也

心氣逆則少陽盛心氣宜木外鑠肺金故盛者心之所表也

九月陽氣盡而陰氣盛故心脇痛也足少陽脉循脇裏出氣街心主脉循胷出脇故爾火墓於戌故九月陽氣盡而陰氣盛也所謂不可反側者陰氣藏物也物藏則不動故不可反側也所謂甚則躍者躍謂跳躍也九月萬物盡衰草木畢落而墮則氣去陽而之陰氣盛而陽之下長故謂躍亦以其脉循髀陽出膝外廉下入外輔之前直下抵絕骨之端下出外踝之前循足跗故氣盛則令人跳躍也陽明所謂洒洒振寒者陽明者午也五月盛陽

之陰也

陽盛以明故云午也五月夏至一陰氣上陽氣降下故云盛陽之陰也

陽盛而陰氣加之故洒洒振寒也

陽氣下陰氣升故云陽盛而陰氣加之也

所謂脛腫而股不收者是五月盛陽之陰也陽者衰於五月而一陰氣上與陽始爭故脛腫而股不收也

以其脉下髀抵伏兔下入膝臏中下循胻外廉下足跗入中指內間又其支別者下膝三寸而別以下入中指外間故爾

所謂上喘而爲水者陰氣下而復上上則邪客

於藏府問故爲水也

藏脾也府胃也足太陰脉從足走腹足陽明脉從頭走足今陰氣微下而太陰上行故云陰氣下而復上也復上則所下之陰氣不散客於脾胃之間化爲水也

所謂胷痛少氣者水氣在藏府也水者陰氣也陰氣在中故胷痛少氣也

水停於下則氣鬱於上氣鬱於上則肺滿故胷痛少氣也

所謂甚則厥惡人與火聞木音則惕然而驚者陽氣與陰氣相薄水火相惡故惕然而驚也所謂欲獨閉戸牖而處者陰陽相薄也陽盡而陰盛故欲獨閉戸牖而居

惡喧故爾

所謂病至則欲乘高而歌棄衣而走者陰陽復爭而外并於陽故使之棄衣而走也

新校正云詳所謂甚則厥至此與前陽明脈解論相通

所謂客孫脈則頭痛鼻鼽腹腫者陽明并於上上者則其孫絡太陰也故頭痛鼻鼽腹腫也太陰所謂病脹者太陰子也十一月萬物氣皆藏於中故曰病脹

陰氣太盛太陰始於子故云子也以其脈入腹屬脾絡胃故病脹也

所謂上走心為噫者陰盛而上走於陽明陽明

絡屬心故曰上走心爲噫也按靈樞經說足陽明流注並無至心者太陰脉說云其支別者復從胃別上鬲注心中法應以此絡爲陽明絡也○新校正云詳王氏以足陽明流注並無至心者按甲乙經陽明之止上通於心循咽出於口宜其經言陽明絡屬心爲噫王氏安得謂之無

所謂食則嘔者物盛滿而上溢故嘔也以其脉屬脾絡胃上鬲俠咽故也

所謂得後與氣則快然如衰者十一月陰氣下衰而陽氣且出故曰得後與氣則快然如衰也

少陰所謂腰痛者少陰者腎也十月萬物陽氣皆傷故腰痛也

少陰者腎脉也腰爲腎府故腰痛也

所謂嘔欬上氣喘者陰氣在下陽氣在上諸陽氣浮無所依從故嘔欬上氣喘也

以其脉從腎上貫肝鬲入肺中故病如是

所謂色色

新校正云詳色色字疑誤

不能久立久坐起則目䀮䀮無所見者萬物陰陽不定未有主也秋氣始至微霜始下而方殺萬物陰陽内奪故目䀮䀮無所見也所謂少氣善怒者陽氣不治陽氣不治則陽氣不得出肝

當治而未得故善怒善怒者名曰煎厥所謂恐如人將捕之者秋氣萬物未有畢去陰氣少陽氣入陰陽相薄故恐也所謂惡聞食臭者胃無氣故惡聞食臭也所謂面黑如地色者秋氣内奪故變於色也所謂欬則有血者陽脉傷也陽氣未盛於上而脉滿滿則欬故血見於鼻也厥陰所謂㿗疝婦人少腹腫者厥陰者辰也三月陽中之陰邪在中故曰㿗疝少腹腫也

以其脉循陰股入髦中環陰器抵少腹故爾

所謂腰脊痛不可以俛仰者三月一振榮華萬

物一俛而不仰也所謂癩癃疝膚脹者曰陰亦盛而脈脹不通故曰癩癃疝也所謂甚則嗌乾熱中者陰陽相薄而熱故嗌乾也此一篇殊與前後經文不相連接別釋經脈發病之源與靈樞經流注畧同所指殊異○新校正云詳此篇所解多甲乙經是動所生之病雖復少有異處大槩則不殊矣

○刺要論篇第五十新校正云按全元起本在第六卷刺齊篇中

黄帝問曰願聞刺要岐伯對曰病有浮沉刺有淺深各至其理無過其道道謂氣所行之道也

過之則内傷不及則生外壅壅則邪從之

過之内傷以大深也不及外壅以妄益他分之氣也氣益而外壅故邪氣隨虚而從之也

淺深不得反爲大賊内動五藏後生大病

賊謂私害動謂動亂然不及則外壅過之則内傷既且外壅内傷是爲大病之階漸爾故日後生大病也

故曰病有在毫毛腠理者有在皮膚者有在肌肉者有在脉者有在筋者有在骨者有在髓者

毛之長者曰毫皮之文理曰腠理然二者皆皮之可見者

是故刺毫毛腠理無傷皮皮傷則内動肺肺動則秋病温瘧泝泝然寒慄

鍼經曰凡刺有五以應五藏一曰半刺半刺者淺内而疾發鍼令鍼傷多如拔髮狀以取皮氣此肺之應也然此其淺以應於肺腠理毫毛由應更淺當取髮根淺深之半爾肺之合皮王於秋氣故肺動則秋病温瘧泝泝然寒慄也泝音素

刺皮無傷肉肉傷則内動脾脾動則七十二日四季之月病腹脹煩不嗜食

脾之合肉寄王四季又其脉從股内前廉入腹屬脾絡胃上鬲俠咽連舌本散舌下其支別者復從胃別上鬲注心中故傷肉則痛脾脾動則四季之月病腹脹煩而不嗜食也七十日四季之月者謂三月六月九月十二月各十二日後土寄王十八日也

刺肉無傷脉脉傷則内動心心動則夏病心痛

心之合脉王於夏氣真心少陰之脉起於心中出屬心系心包心主之脉起於胷中出屬

心包平入氣象論曰藏真通於心故脉傷則動心心動則夏病心痛

刺脉無傷筋筋傷則內動肝肝動則春病熱而筋弛

肝之合筋王於春氣鍼經曰熱則筋緩故筋傷則動肝肝動則春病熱而筋弛緩弛猶縱緩也弛施是反

刺筋無傷骨骨傷則內動腎腎動則冬病脹腰痛

腎之合骨王於冬氣腰爲腎府故骨傷則動腎腎動則冬病腰痛也腎之脉直行者從腎上貫肝鬲故脹也

刺骨無傷髓髓傷則銷鑠胻酸體解㑊然不去

矣

髓者骨之充鍼經曰髓海不足則腦轉耳鳴胻酸眩冒故髓傷則腦髓銷鑠胻酸體解㑊然不去也銷鑠謂髓腦銷鑠解㑊謂強不強弱不弱熱不熱寒不寒解解㑊㑊然不可名之也腦髓銷鑠骨空之所致也鑠詩若反眩音縣

○刺齊論篇第五十一

新校正云按全元起本在第六卷

黃帝問曰願聞刺淺深之分

謂皮肉筋脈骨之分位也

岐伯對曰刺骨者無傷筋刺筋者無傷肉刺肉者無傷脈刺脈者無傷皮刺皮者無傷肉刺肉

者無傷筋刺筋者無傷骨帝曰余未知其所謂願聞其解歧伯曰刺骨無傷筋者鍼至筋而去不及骨也刺筋無傷肉者至肉而去不及筋也刺肉無傷脉者至脉而去不及肉也刺脉無傷皮者至皮而去不及脉也是皆謂遣邪也然筋有寒邪肉有風邪脉有濕邪皮有熱邪則如是遣之所謂邪者皆言其非順正氣而相干犯也○新校正云詳此謂刺淺不至所當刺之處也下文則誠其大深也

所謂刺皮無傷肉者病在皮中鍼入皮中無傷肉也刺肉無傷筋者過肉中筋也刺筋無傷骨

者過筋中骨也此謂之反也此則誠過分大深也○新校正云按全元起云刺如此者是謂傷此皆過過必損其血氣是謂逆也邪必因而入也

○刺禁論篇第五十二新校正云按全元起本在第六卷

黃帝問曰願聞禁數岐伯對曰藏有要害不可不察肝生於左肝象木王於春春陽發生故生於左也肺藏於右肺象金王於秋秋陰收殺故藏於右也○新校正云按揚上善云肝為少陽陽長之始[illegible]

曰生肺爲少陰陰藏之初故曰藏

心部於表

陽氣主外心象火也

腎治於裏

陰氣主內腎象水也○新校正云按楊上善云心爲五藏部主故得稱部腎間動氣內治五藏故曰治

脾謂之使

營動不已糟粕水穀故使者也

胃爲之市

水穀所歸五味皆入如市雜故爲市也

鬲肓之上中有父母

鬲肓之上氣海居中氣者生之原生者命之主故氣海爲人之父母也○新挍正云按楊上善云心下鬲上爲肓心爲陽父也肺爲陰母也肺主於氣心主於血共榮衛於身故爲父母

七節之傍中有小心

小心謂真心神靈之宫室○新挍正云按太素小心作志心楊上善云脊有三七二十一節腎在下七節之傍腎神曰志五藏之靈皆名爲神神之所以任得名爲志者心之神也

從之有福逆之有咎

從謂隨順也八者人之所以生形之所以成故順之則福延逆之則咎至

刺中心一日死其動爲噫

心在氣爲噫

刺中肝五日死其動爲語

肝在氣爲語○新校正云按全元起本并甲乙經語作欠元起云腎傷則欠子母相感也

王氏改欠作語

刺中腎六日死其動爲嚏

腎在氣爲嚏○新校正云按全元起本及甲乙經六日作三日

刺中肺三日死其動爲欬

肺在氣爲欬

刺中脾十日死其動爲吞

脾在氣爲吞○新校正云按全元起本及甲乙經十日作十五日刺中五藏與診要經終

論并四時刺逆從論相重此叙五藏相次之法以所生爲次甲乙經以心肺肝脾腎爲次是以所剋爲次全元起本舊文則錯亂無次矣

刺中膽一日半死其動爲嘔

膽氣勇故爲嘔○新校正云按診要經終論刺中膽下又云刺中膽者爲傷中其病雖愈不過一歲死

刺跗上中大脉血出不止死

跗爲足跗大脉動而不止者則胃之大經也胃爲水穀之海然血出不止則胃氣將傾海竭氣亡故死

刺面中溜脉不幸爲盲

面中溜脉者手大陽任脉之交會手太陽脉自顴而斜行至目內眥任脉自鼻鼽兩傍上

行至瞳子下故刺面中溜脉不幸爲盲

刺頭中腦户入腦立死

腦户穴名也在枕骨上通於腦中然腦爲髓之海真氣之所聚鍼入腦則真氣泄故立死

刺舌下中脉太過血出不止爲瘖

舌下脉脾之脉也脾脉者俠咽連舌本散舌下血出不止則脾氣不能營運於舌故瘖不能言語

刺足下布絡中脉血不出爲腫

布絡謂當内踝前足下空處布散之絡正當然谷穴分也絡中脉則衝脉也衝脉者並少陰之經下入内踝之後入足下也然刺之而血不出則腎脉與衝脉氣并歸於然谷之中故爲腫

刺郄中大脉令人仆脱色

尋此經郄中主治與中誥流注經委中穴正同應郄中者以經穴爲名委中處所爲名亦猶寸口脉口氣口皆同一處爾然郄中大脉者足太陽經脉也足太陽之脉起於目内眥合手太陽手太陽脉自目内眥斜絡於顴足太陽脉上頭下項又循於足故刺之過禁則令人仆倒而面色如脱去也

刺氣街中脉血不出爲腫鼠僕

氣街之中膽胃脉也膽之脉循脇裏出氣街胃之脉俠臍入氣街中其支别者起胃下口循腹裏至氣街中而合令刺之而血不出則血脉氣并聚於中故内結爲腫如伏鼠之形也氣街在腹下俠臍兩傍相去四寸鼠僕上一寸動脉應手也○新校正云按别本僕一作髋氣府論註氣街在臍下横骨兩端鼠鼷上一寸也

刺脊間中髓爲傴

傴謂傴僂身踡屈也脊間謂脊骨節間也刺中髓則骨精氣泄故傴僂也

刺乳上中乳房爲腫根蝕

乳之上下皆足陽明之脉也乳房之中乳液滲泄胷中氣血皆外湊之然刺中乳房則氣血交湊故爲大腫中有膿根内蝕肌膚化爲膿水而久故不愈也

刺缺盆中内陷氣泄令人喘欬逆

五藏者肺爲之蓋缺盆爲之道肺藏氣而主息又在氣爲欬刺缺盆中内陷則肺氣外泄故令人喘欬逆也

刺手魚腹内陷爲腫

手魚腹内肺脉所流故刺之内陷則爲腫也○新校正云按甲乙經肺脉所流當作留字

無刺大醉令人氣亂

脉數過度故因刺而亂也○新校正云按靈樞經氣亂當作脉亂

無刺大怒令人氣逆

怒者氣逆故刺之益甚

無刺大勞人

經氣越也

無刺新飽人

氣盛滿也

無刺大饑人

氣不足也

無刺大渴人

血脉乾也

無刺大驚人

神蕩越而氣不治也。新校正云詳無刺大醉至此七條與靈樞經相出入靈樞經云新内無刺已刺無内大怒無刺已刺無怒大勞無刺已刺無勞大醉無刺已刺無醉大飽無刺已刺無飽大飢無刺已刺無飢大渴無刺已刺無渴大驚大恐必定其氣乃刺之也

刺陰股中大脉血出不止死

陰股之中脾之脉也脾者中央土孤藏以灌四傍今血出不止脾氣將竭故死。新校正云按刺陰股中大脉條皇甫士安移在前刺跗上中大脉下相續自後至篇末逐條與前條相間也

刺客主人內陷中脉爲內漏爲聾

客主人穴名也今名上關在耳前上廉起骨開口有空手少陽足陽明脉交會於中陷脉言刺大深也刺大深則交脉破決故爲耳內之漏脉內漏則氣不營故聾○新校正云詳客主人穴與氣穴論註同按甲乙經及氣府論註云手足少陽足陽明三脉之會疑此脫一足少陽脉也

刺膝髕出液爲跛

膝爲筋府筋會於中液出筋乾故跛髕音牝

刺臂太陰脉出血多立死

臂太陰者肺脉也肺者主行榮衛陰陽治節由之血出多則榮衛絕故立死

刺足少陰脉重虛出血爲舌難以言

足少陰腎脉也足少陰脉貫腎絡肺繫舌本故重虚出血則舌難言也

刺膺中陷中肺爲喘逆仰息

肺氣上泄逆所致也

刺肘中内陷氣歸之爲不屈伸

肘中謂肘屈折之中尺澤穴中也刺過陷脉惡氣歸之氣固關節故不屈伸也

刺陰股下三寸内陷令人遺溺

股下三寸腎之絡也衝脉與少陰之絡皆起於腎下出於氣街並循於陰股其上行者出胞中故刺陷脉則令人遺溺也

刺腋下脇間内陷令人欬

腋下肺脉也肺之脉從肺系横出腋下真心藏脉直行者從心系却上腋下刺陷脉則心

肺俱動故欬也

刺少腹中膀胱溺出令人少腹滿

胞氣外泄穀氣歸之故少腹滿也少腹謂臍下也

刺腨腸内陷爲腫

腨腸之中足太陽脉也太陽氣泄故爲腫

刺匡上陷骨中脉爲漏爲盲

匡目匡也骨中謂目匡骨中也匡骨中脉目之系肝之脉也刺内陥則眼系絶故爲目漏目盲

刺關節中液出不得屈伸

諸筋者皆屬於節津液滲潤之液出則筋膜乾故不得屈伸也

○刺志論篇第五十三

新校正云按全元起本在第六卷

黄帝問曰願聞虚實之要岐伯對曰氣實形實氣虚形虚此其常也反此者病

陰陽應象大論曰形歸氣氣由是故虚實同焉反謂不相合應失常平之候也形氣相反故病生氣謂脉氣形謂身形也

穀盛氣盛穀虚氣虚此其常也反此者病

靈樞經曰營氣之道内穀爲實穀入於胃氣傳與肺精專者上行經隧由是故穀氣虚實占必同焉候不相應則爲病也

○新校正云按甲乙經實作寶

脉實血實脉虚血虚此其常也反此者病

脉者血之府故虚實同焉反不相應則爲病也

帝曰如何而反岐伯曰氣虛身熱此謂反也

氣虚爲陽氣不足陽氣不足當身寒反身熱者脉氣當盛脉不盛而身熱證不相符故謂反也○新校正云按甲乙經云氣盛身寒氣虛身熱此謂反也當補此四字

穀入多而氣少此謂反也

胃之所出者穀氣而布於經脉也穀入於胃脉道乃散今穀入多而氣少者是胃氣不散故謂反也

穀不入而氣多此謂反也

胃氣外散肺并之也

脉盛血少此謂反也脉少血多此謂反也

經脉行氣絡脉受血經氣入絡絡受經氣候不相合故皆反常也

氣盛身寒得之傷寒氣虛身熱得之傷暑

傷謂觸冒也寒傷形故氣盛身寒熱傷氣故氣虛身熱

穀入多而氣少者得之有所脫血濕居下也

脫血則血虛血虛則氣盛內鬱化成津液流入下焦故云濕居下也

穀入少而氣多者邪在胃及與肺也

胃氣不足肺氣下流於胃中故邪在胃然肺氣入胃則肺氣不自守氣不自守則邪氣從之故云邪在胃及與肺也

脉小血多者飲中熱也

飲謂留飲也飲留脾胃之中則脾氣溢脾氣溢則發熱中

脉大血少者脉有風氣水漿不入此之謂也

風氣盛滿則水漿不入於脉

夫實者氣入也虛者氣出也

入為陽出為陰陰生於内故出陽生於外故入

氣實者熱也氣虛者寒也

陽盛而陰内拒故熱陰盛而陽外微故寒

入實者右手開鍼空也入虛者左手閉鍼空也

言用鍼之補寫也右手持鍼左手捻穴故實者右手開鍼空以寫之虛者左手閉鍼空以補之也

捻音涅

○鍼解篇第五十四

新校正云按全元起本在第六卷

黄帝問曰願聞九鍼之解虛實之道歧伯對曰刺虛則實之者鍼下熱也氣實乃熱也滿而泄之者鍼下寒也氣虛乃寒也菀陳則除之者出惡血也

菀積也陳久也除去也言絡脉之中血積而久者鍼刺而除去之也

邪盛則虛之者出鍼勿按

邪者不正之目非本經氣是則謂邪非言鬼毒精邪之所勝也出鍼勿按穴俞且開故得經虛邪氣發泄也

徐而疾則實者徐出鍼而疾按之疾而徐則虛

者疾出鍼而徐按之

徐出謂得經氣已久乃出之疾按謂鍼出穴已速疾按之則眞氣不泄經脉氣全故徐而疾乃實也疾疾出鍼謂鍼入穴已至於經脉即疾出之徐按謂鍼出穴已徐緩按之則邪氣得泄精氣復門故疾而徐乃虛也

言實與虛者寒温氣多少也

寒温謂經脉陰陽之氣也

若無若有者疾不可知也

言其冥昧不可即而知也夫不可即知故若無慧然神悟故若有也

察後與先者知病先後也

知病先後乃補寫之

爲虛與實者工勿失其法

鍼經曰經氣已至愼守勿失此之謂也○新校正云按甲乙經云若有若亡爲虛與實

若得若失者離其法也

妄爲補寫離亂大經誤補實者轉令若得誤寫虛者轉令若失故曰若得若失也鍼經曰無實實無虛虛此其誠也○新校正云詳自篇首至此與太素九鍼解篇經同而解異二經互相發明也

虛實之要九鍼最妙者爲其各有所宜也

熱在頭身宜鑱鍼肉分氣滿宜員鍼脉氣虛少宜鍉鍼寫熱出血發泄固病宜鋒鍼破癰腫出膿血宜鈹鍼調陰陽去暴痺宜員利鍼治經絡中痛痺宜毫鍼痺深居骨解腰脊節腠之間者宜長鍼虛風舍於骨解皮膚之間宜大鍼此之謂各有所宜也○新校正云按

别本錍一作鈹鍉音氐

補寫之時者與氣開闔相合也

氣當時刻謂之開已過未至謂之闔時刻者漏水下一刻人氣在太陽水下二刻人氣在少陽水下三刻人氣在陽明水下四刻人氣在陰分水下不已人氣行不已如是則當刻者謂之過刻及未至者謂之闔也此鍼經曰謹候其氣之所在而刺之是謂逢時此所謂補寫之時也○新校正云詳自篇首至此文出靈樞經素問解之互相發明也甲乙經補寫之時以鍼寫之者此脫此四字

九鍼之名各不同形者鍼窮其所當補寫也

各不同形謂長短鋒頴不等窮其補寫謂各隨其療而用之也○新校正云按九鍼之形今具甲乙經

刺實須其虚者留鍼陰氣隆至乃去鍼也刺虚須其實者陽氣隆至鍼下熱乃去鍼也

言要以氣至而有効也

經氣已至慎守勿失者勿變更也

變謂變易更謂改更皆變法也言得氣至必宜謹守無變其法反招損也

淺深在志者知病之内外也

近遠如一者深淺其候等也

志一爲意志意皆行鍼之用也

言氣雖近遠不同然其測候皆以氣至而有効也

如臨深淵者不敢墮也

言氣候補寫如臨深淵不敢墯慢失補寫之法也

手如握虎者欲其壯也

壯謂持鍼堅定也鍼經曰持鍼之道堅者爲實則其義也○新校正云按甲乙經實字作寶

神無營於衆物者靜志觀病人無左右視也

目絶妄視心專一務則用之必中無惑誤也○新校正詳從刺實須其虛至此文見寶命全形論此又爲之解亦互相發明也

義無邪下者欲端以正也

正指直刺鍼無左右

必正其神者欲瞻病人目制其神令氣易行也

檢彼精神令無散越則
氣爲神使中外易調也

所謂三里者下膝三寸也所謂跗之者

新校正云按全元起本跗之作低胕太
素作付之按骨空論跗之疑作跗上

舉膝分易見也

三里穴名正在膝下三寸胻外兩筋肉分間
極重按之則足跗上動脉止矣故曰舉膝分
易見

巨虚者蹻足胻獨陷者

巨虚穴名也蹻謂舉也取巨虚下廉當
舉足取之則胻外兩筋之間陷下也

下廉者陷下者也

欲知下廉穴者胻外兩筋
之間獨陷下者則其處也

帝曰余聞九鍼上應天地四時陰陽願聞其方令可傳於後世以爲常也岐伯曰夫一天二地三人四時五音六律七星八風九野身形亦應之鍼各有所宜故曰九鍼新校正云詳此文與靈樞經相出入

人皮應天覆蓋於物天之象也

人肉應地柔厚安靜地之象也

人脉應人

盛衰變易人之象也

人筋應時

堅固貞定時之象也

人聲應音

備五音故

人陰陽合氣應律

交會氣通相生無替則律之象○新校正云按别本氣一作度

人齒面目應星

人面應七星者所謂面有七孔應之也○新校正云詳此註乃全元起之辭也

人出入氣應風

動出往來風之象也

人九竅三百六十五絡應野

身形之外野之象也

故一鍼皮二鍼肉三鍼脉四鍼筋五鍼骨六鍼調陰陽七鍼益精八鍼除風九鍼通九竅除三百六十五節氣此之謂各有所主也

一鑱鍼二員鍼三鍉鍼四鋒鍼五鈹鍼六員利鍼七毫鍼八長鍼九大鍼○新校正云按別本錍一作鈹

人心意應八風

動靜不形風之象也

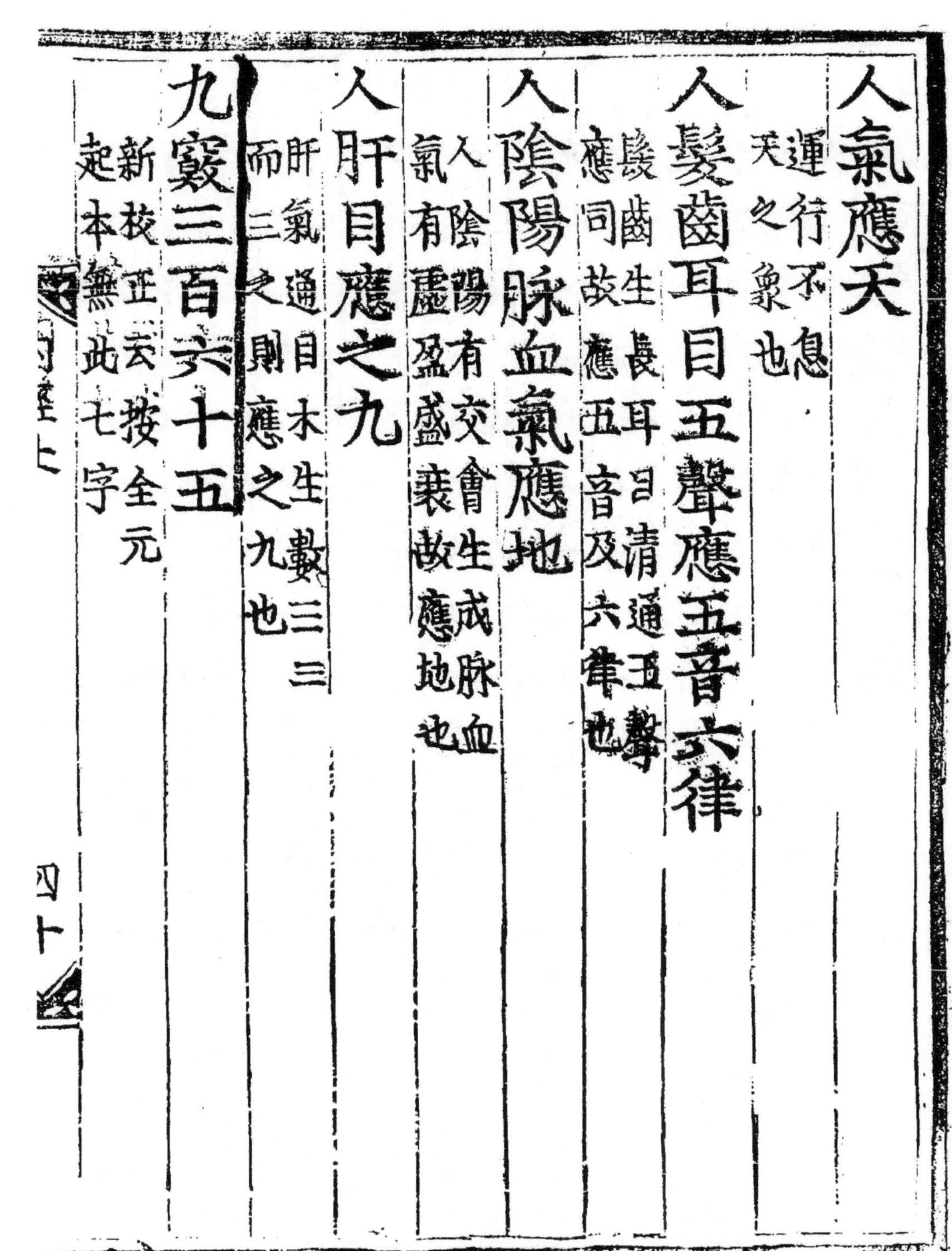

人氣應天

運行不息天之象也

人髮齒耳目五聲應五音六律

髮齒生長耳目清通五聲應司故應五音及六律也

人陰陽脉血氣應地

人陰陽有交會生成脉血氣有虛盈盛衰故應地也

人肝目應之九

肝氣通目木生數三三而三之則應之九也

九竅三百六十五

新校正云按全元起本無此七字

四十

人一以觀動静天二以候五色七星應之以候髮毋澤五音一以候宮商角徵羽六律有餘不足應之二地一以候高下有餘九野一節俞應之以候閉節三人變一分人候齒泄多血少十分角之變五分以候緩急六分不足三分寒關節第九分四時人寒温燥濕四時一應之以候相反一四方各作解

此一百二十四字蠹簡爛文義理殘缺莫可尋究而上古書故且載之以佇後之具本也

○新校正云詳王氏云一百二十四字今有一百二十三字又亡一字

○長刺節論篇第五十五

新校正云按全元起本在第三卷

刺家不診聽病者言在頭頭疾痛為臧鍼之藏猶深也言深刺之故下文曰○新校正云按全元起本云為鍼之無藏字

刺至骨病已止無傷骨肉及皮皮者道也皮者鍼之道故刺骨無傷骨肉及皮也

陰刺入一傍四處治寒熱頭有寒熱則用陰刺法治之陰刺謂卒刺之如此數也○新校正云按別本卒刺一作平刺按甲乙經陽刺者正内一傍内四陰刺者左右卒刺之此陰刺疑是陽刺

深專者刺大臧寒熱病氣深專攻中者當刺五藏以拒之

迫藏刺背背俞也

迫近也漸近於藏則刺背五藏之俞也

刺之迫藏藏會

言刺近於藏者何也以是藏氣之會發也

腹中寒熱去而止

言刺背俞者無問其數要以寒熱去乃止鍼

與刺之要發鍼而淺出血

若與諸俞刺之則如此

治腐腫者刺腐上視癰小大深淺刺

腐腫謂腫中肉腐敗為膿血者癰小者淺刺之癰大者深刺之○新校正云按全元起本

及甲乙經膺作癰

刺大者多血小者深之必端內鍼爲故正

癰之大者多出血癰之小者但直鍼之而已○新校正云按甲乙經云刺大者多而深之必端內鍼爲故正也此文云小者深之疑此誤

病在少腹有積刺皮骺以下至少腹而止刺俠脊兩傍四椎間刺兩髂髎季脇肋間導腹中氣熱下已

少腹積謂寒熱之氣結積也皮骺謂臍下同身寸之五寸橫約文審刺而勿過深之刺禁論曰刺少腹中膀胱溺出令人少腹滿由此故不可深之矣俠脊四椎之間據經無俞恐當云五椎間五椎之下兩傍正心之俞心應少腹故當言之間也髂謂腰骨髎一爲髁字

形相近之誤也髎謂居髎腰側穴也季脇肋間當是刺季肋之間京門穴也○新校正云按釋音皮髓作皮骼是骼誤作髓也及偏尋篇韻中無髓字只有骼骨端也皮骼者盖謂臍下横骨之端也全元起本作皮髓元起註云臍傍埵起也亦未爲得骼口亞反髓先抹反

病在少腹腹痛不得大小便病名曰疝得之寒刺少腹兩股間刺腰髁骨間刺而多之盡炅病已

厥陰之脉環陰器抵少腹衝脉與少陰之絡皆起於腎下出於氣街循陰股其後行者自少腹以下骨中央女子入繫挺孔其絡循陰器合篡間繞篡後別繞臀至少陰與巨陽中絡者合少陰上股内後廉貫脊屬腎其男子循莖下至篡與女子等故刺少腹及兩股間

又刺腰髁骨間也腰髁骨者腰房俠脊平立陷者中按之有骨之處也疝爲寒生故多刺之少腹盡熱乃止鍼旻熱也○新校正云按别本髮一作基又初患反

病在筋筋攣節痛不可以行名曰筋痺刺筋上爲故刺分肉間不可中骨也

分謂肉分間有筋維絡處也刺筋無傷骨故不可中骨也

病起筋旻病已止

筋雍痺生故得筋熱病已乃止

病在肌膚肌膚盡痛名曰肌痺傷於寒濕刺大分小分多發鍼而深之以熱爲故

大分謂大肉之分小分謂小肉之分

無傷筋骨傷筋骨癰發若變

鍼經曰病淺鍼深内傷良肉皮膚爲癰又曰鍼大深則邪氣反沉病益甚傷筋骨則鍼大深故癰發若變也

諸分盡熱病已止

熱可消寒故病已則止

病在骨骨重不可舉骨髓酸痛寒氣至名曰骨痺深者刺無傷脉肉爲故其道大分小分骨熱病已止

骨痺刺無傷脉肉者何自刺其氣通肉之大小分中也

病在諸陽脉且寒且熱諸分且寒且熱曰狂

氣狂亂也

刺之虛脈視分盡熱病已止病初發歲一發不治月一發不治月四五發名曰癲病刺諸分諸脈其無寒者以鍼調之病已止

新校正云按甲乙經云刺諸分其脈猶寒以鍼補之

病風且寒且熱炅汗出一日數過先刺諸分理絡脈汗出且寒且熱三日一刺百日而已病大風骨節重鬚眉墮名曰大風刺肌肉爲故汗出百日

泄衛熱之怫氣

刺骨髓汗出百日泄榮氣之怫熱

凡二百日鬚眉生而止鍼怫熱屏退陰氣内復故多汗出鬚眉生也

新刊補註釋文黄帝内經素問卷之七

黄帝素問 八

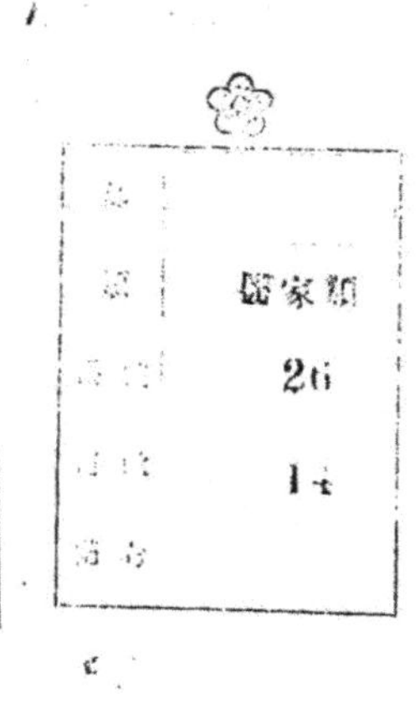

新刊補註釋文黃帝内經素問卷之八

○皮部論篇第五十六

新校正云按全元起本在第二卷

黃帝問曰：余聞皮有分部，脉有經紀，筋有結絡，骨有度量，其所生病各異，别其分部，左右上下，陰陽所在，病之始終，願聞其道。岐伯對曰：欲知皮部，以經脉爲紀者，諸經皆然。循經脉行止所主，則皮部可知。諸經謂十二經脉也。十二經脉皆同。

陽明之陽，名曰害蜚。蜚，生化也。害，殺氣也。殺氣行則生化弭，故曰害蜚。蜚，扶沸反。

上下同法視其部中有浮絡者皆陽明之絡也

上謂手陽明下謂足陽明也

其色多青則痛多黒則痺黄赤則熱多白則寒五色皆見則寒熱也絡盛則入客於經陽主外陰主内

陽謂陽絡陰謂陰絡此通言之也手足身分所見經絡皆然

少陽之陽名曰樞持

樞謂樞要持謂執持

上下同法視其部中有浮絡者皆少陽之絡也絡盛則入客於經故在陽者主内在陰者主出

以滲於内諸經皆然太陽之陽名曰關樞

關司外動以静鎮爲事如樞之運則氣和平也

上下同法視其部中有浮絡者皆太陽之絡也

絡盛則入客於經少陰之陰名曰樞儒

儒順也守要而順陰陽開闔之用也○新校正云按甲乙經儒作檽

上下同法視其部中有浮絡者皆少陰之絡也

絡盛則入客於經其入經也從陽部注於經其

出者從陰内注於骨心主之陰名曰害肩

心主脉入腋下氣不和則妨害肩腋之動運

上下同法視其部中有浮絡者皆心主之絡也

絡盛則入客於經太陰之陰名曰關蟄關閉蟄類使順行藏○新校正云按甲乙經蟄作執

上下同法視其部中有浮絡者皆太陰之絡也絡盛則入客於經部皆謂本經絡之所部分浮謂浮見也

凡十二經絡脉者皮之部也列陰陽位部主於皮故曰皮之部也

是故百病之始生也必先於皮毛邪中之則腠理開開則入客於絡脉留而不去傳入於經留而不去傳入於府廩於腸胃

廩積也聚也

邪之始入於皮也泝然起毫毛開腠理

泝然惡寒也起謂毛起豎也腠理皆謂皮空及文理也

其入於絡也則絡脉盛色變

盛謂盛滿變謂易其常也

其入客於經也則感虛乃陷下

經虛邪入故曰感虛脉虛氣少故陷下也

其留於筋骨之間寒多則筋攣骨痛熱多則筋弛骨消肉爍䐃破毛直而敗

攣急也弛緩也消爍也鍼經曰寒則筋急熱則筋緩寒勝爲痛熱勝爲氣消䐃者肉之標

故肉消則䐃破毛直而敗也䐃渠殞反

帝曰夫子言皮之十二部其生病皆何如岐伯曰皮者脉之部也

脉氣流行各有陰陽氣隨經所過而部主之故云脉之部

邪客於皮則腠理開開則邪入客於絡脉絡脉滿則注於經脉經脉滿則入舍於府藏也故皮者有分部不與而生大病也

脉行皮中各有部分脉受邪氣隨則病生非由皮氣而能生也○新校正云按甲乙經不與作不愈全元起本作不與元起云言不與經脉和調則氣傷於外邪流入於内必生大病也

帝曰善

◯經絡論篇第五十七

新校正云按全元起本在皮部論末王氏分篇

黃帝問曰夫絡脉之見也其五色各異青黃赤白黑不同其故何也歧伯對曰經有常色而絡無常變也

經行氣故色見常應於時絡主血故受邪則變而不一矣

帝曰經之常色何如歧伯曰心赤肺白肝青脾黃腎黑皆亦應其經脉之色也帝曰絡之陰陽亦應其經乎歧伯曰陰絡之色應其經陽絡之

色變無常隨四時所行也 順四時氣化之行止

寒多則凝泣凝泣則青黑熱多則淖澤淖澤則黄赤此皆常色謂之無病五色具見者謂之寒熱

淖濕也澤潤液也謂微濕潤也

帝曰善

○氣穴論篇第五十八 新校正云按全元起本在第二卷

黄帝問曰余聞氣穴三百六十五以應一歲未

知其所願卒聞之岐伯稽首再拜對曰窘乎哉

問也其非聖帝孰能窮其道焉因請溢意盡言

其處 孰誰也

帝捧手逡巡而却曰夫子之開余道也目未見

其處耳未聞其數而目以明耳以聰矣 目以明耳以聰言心志通明迴如意也

岐伯曰此所謂聖人易語良馬易御也帝曰余

非聖人之易語也世言眞數開人意今余所訪

問者眞數發蒙解惑未足以論也

問氣穴眞數庶將解彼蒙昧之疑惑未足以論述深微之意也

然余願聞夫子溢志盡言其處令解其意請藏之金匱不敢復出

言其處謂穴俞處所

岐伯再拜而起曰臣請言之背與心相控而痛所治天突與十椎及上紀

天突在頸結喉下同身寸之四寸中央宛宛中陰維任脈之會低鍼取之刺可入同身寸之一寸留七呼若灸者可灸三壯按今甲乙經經脈流注孔穴圖經當脊十椎下並無穴目恐是七椎也此則督脈氣所主之上紀之處次如下說○新校正云按甲乙經云天突在結喉下五寸

上紀者胃脘也

謂中脘也脘者胃募也在上脘下同身寸之一寸居心蔽骨與臍之中手太陽少陽足陽明三脉所生任脉氣所發也刺可入同身寸之一寸二分若灸者可灸七壯○新校正云按甲乙經云任脉之會也[illegible]泌窌反

下紀者關元也

關元者小腸募也在臍下同身寸之三寸足三陰任脉之會刺可入同身寸之二寸留七呼若灸者可灸七壯

背胷邪繫陰陽左右如此其病前後痛濇胷脅痛而不得息不得卧上氣短氣偏痛

新校正云按別本偏一作滿

脉滿起斜出尻脉絡胷脇支心貫鬲上肩加天突斜下肩交十椎下

尋此支絡脉流注病形證悉是督脉支絡自尾骶出各上行斜絡脇支心貫鬲上加天突斜之肩而下交於十椎○新校正云詳自背與心相控而痛至此疑是骨空論文簡脫誤於此

藏俞五十穴

藏謂五藏肝心脾肺腎非兼四形藏也俞謂井滎俞經合非背俞也然井滎俞經合者肝之井者大敦也滎行間也俞大衝也經中封也合曲泉也大敦在足大指端去爪甲角如韭葉及三毛之中足厥陰脉之所出也刺可入同身寸之三分留十呼若灸者可灸三壯行間在足大指之間脉動應手陷者中足厥陰之所流也○新校正云按甲乙經流作留

餘脈流並作留○刺可入同身寸之三分留十呼若灸者可灸三壯大衝在足大指本節後同身寸之二寸陷者中○新校正云按刺腰痛注云本節後内間同身寸之二寸陷者中動脉應手足厥陰脉之所注也刺可入同身寸之三分留十呼若灸者可灸三壯中封在足内踝前一同身寸之一寸半○新校正云按甲乙經云一寸○陷者中仰足而取之伸足乃得之足厥陰脉之所行也刺可入同身寸之四分留七呼若灸者可灸三壯曲泉在膝内輔骨下大筋上小筋下陷者中屈膝而得之足厥陰脉之所入也刺可入同身寸之六分留十呼若灸者可灸三壯心包之井者中衝也滎勞宫也俞大陵也經間使也合曲澤也中衝在手中指之端去爪甲角如韭葉陷者中手心主脉之所出也刺可入同身寸之一分留三呼若灸者可灸一壯勞宫在掌中央動脉手心主脉之所流也刺可入同身寸之三分留六呼若灸者可灸三壯大陵在掌後骨兩筋間陷者中手心主脉之所注也

刺可入同身寸之六分留七呼若灸者可灸三壯間使在掌後同身寸之三寸兩筋間陷者中手心主脉之所行也刺可入同身寸之六分留七呼若灸者可灸七壯○新校正云按甲乙經云灸三壯○曲澤在肘內廉下陷者中屈肘而得之手心主脉之所入也刺可入同身寸之三分留七呼若灸者可灸三壯脾之井者隱白也滎大都也俞太白也經商丘也合陰陵泉也隱白在足大指之端內側去爪甲角如韭葉足太陰脉之所出也刺可入同身寸之一分留三呼若灸者可灸三壯大都在足大指本節後陷者中足大陰脉之所流也刺可入同身寸之三分留七呼若灸者可灸三壯太白在足內側核骨下陷者中足太陰脉之所注也刺可入同身寸之三分留七呼若灸者可灸三壯商丘在足內踝下微前陷者中足太陰脉之所行也刺可入同身寸之四分留七呼若灸者可灸三壯陰陵泉在膝下內側輔骨下陷者中伸足乃得之足太陰脉之所入也刺可入同身寸之五分

留七呼若灸者可灸三壯肺之井者少商也滎魚際也俞大淵也經經渠也合尺澤也少商在手大指之端内側去爪甲角如韭葉手太陰脉之所出也刺可入同身寸之一分留一呼若灸者可灸三壯○新校正云按甲乙經作一壯○魚際在手大指本節後内側散脉手太陰脉之所流也刺可入同身寸之二分留三呼若灸者可灸三壯大淵在掌後陷者中手太陰脉之所注也刺可入同身寸之二分留二呼若灸者可灸三壯經渠在寸口陷者中手太陰脉之所行也刺可入同身寸之三分留三呼不可灸灸傷人神明尺澤在肘中約上動脉手太陰脉之所入也刺可入同身寸之三分留三呼若灸者可灸三壯腎之井者涌泉也滎然谷也俞大谿也經復溜也○新校正云按甲乙經溜作留餘溜字並同○合陰谷也涌泉在足心陷者中屈足捲指宛宛中足少陰脉之所出也刺可入同身寸之三分留二呼若灸者可灸三壯然谷在足内踝前起大骨下陷者中足少陰脉之所流

也刺可入同身寸之三分留三呼若灸者可灸三壯刺此多見血令人立飢欲食太谿在足內踝後跟骨上動脉陷者中足少陰脉之所注也刺可入同身寸之三分留七呼若灸者可灸三壯復留在足內踝上同身寸之二寸陷者中○新校正云按刺腰痛篇注云在內踝後上二寸動脉○足少陰脉之所行也刺可入同身寸之三分留三呼若灸者可灸五壯陰谷在膝下內輔骨之後大筋之下小筋之上按之應手屈膝而取之足少陰脉之所入也刺可入同身寸之四分若灸者可灸三壯如是五藏之俞藏各五穴則二十五俞以左右脉具而言之則五十穴

府俞七十二穴

府謂六府非兼九形府也俞亦謂井滎俞原經合非背俞也肝之府膽膽之井者竅陰也滎俠谿也俞臨泣也原丘墟也經陽輔也合陽陵泉也竅陰在足小指次指之端去爪甲

角如韭葉足少陽脉之所出也刺可入同身寸之一分留一呼○新校正云按甲乙經作三呼○若灸者可灸三壯俠谿在足小指次指岐骨間本節前陷者中足少陽脉之所流也刺可入同身寸之三分留三呼若灸者可灸三壯臨泣在足小指次指本節後間陷者中去俠谿同身寸之一寸半足少陽脉之所注也刺可入同身寸之三分○新校正云按甲乙經作二分○留五呼若灸者可灸三壯丘墟在足外踝下如前陷者中去臨泣同身寸之三寸足少陽脉之所過也刺可入同身寸之五分留七呼若灸者可灸三壯陽輔在足外踝上○新校正云按甲乙經云外踝上四寸輔骨前絶骨之端如前同身寸之三分所去丘墟同身寸之七寸足少陽脉之所行也刺可入同身寸之五分留七呼若灸者可灸三壯陽陵泉在膝下同身寸之一寸䯒外廉陷者中足少陽脉之所入也刺可入同身寸之六分留十呼若灸者可灸三壯髀之府胃胃之井者厲兑也滎內庭也俞陷谷也原

衝陽也經解絡也合三里也厲兑在足大指次指之端去爪甲角如韭葉足陽明脉之所出也刺可入同身寸之一分留一呼若灸者可灸一壯内庭在足大指次指外間陷者中足陽明脉之所流也刺可入同身寸之三分留十呼○新校正云按甲乙經云作二十呼○若灸者可灸三壯陷谷在足大指次指外間本節後陷者中去内庭同身寸之二寸足陽明脉之所注也刺可入同身寸之五分留七呼若灸者可灸三壯衝陽在足跗上同身寸之五寸骨間動脉上去陷谷同身寸之三寸足陽明脉之所過也刺可入同身寸之三分留十呼若灸者可灸三壯解谿在衝陽後同身寸之二寸半○新校正云按甲乙經作一寸半刺瘧註作三寸半素問二註不同當從甲乙經之說○腕上陷者中足陽明脉之所行也刺可入同身寸之五分留五呼若灸者可灸三壯三里在膝下同身寸之三寸胻骨外廉兩筋肉分間足陽明脉之所入也刺可入同身寸之一寸留七呼若灸者可灸三

壯肺之府大腸大腸之井者商陽也滎二間
也俞三間也原合谷也經陽谿也合曲池也
商陽在手大指次指內側去爪甲角如韭葉
手陽明脉之所出也刺可入同身寸之一分
留一呼若灸者可灸三壯二間在手大指次
指本節前內側陷者中手陽明脉之所流也
刺可入同身寸之三分留六呼若灸者可灸
三壯三間在手大指次指本節內側陷者中
手陽明脉之所注也刺可入同身寸之三分
留三呼若灸者可灸三壯合谷在手大指次
指岐骨之間手陽明脉之所過也刺可入同
身寸之三分留六呼若灸者可灸三壯陽谿
在腕中上側兩筋間陷者中手陽明脉之所
行也刺可入同身寸之三分留七呼若灸者
可灸三壯曲池在肘外輔屈肘兩骨之中手
陽明脉之所入也以手拱胷取之刺可入同
身寸之五分留七呼若灸者可灸三壯心之
府小腸小腸之井者少澤也滎前谷也俞後
谿也原腕骨也經陽谷也合少海也少澤在
手小指之端去爪甲下同身寸之一分陷者

中手大陽脉之所出也刺可入同身寸之一分留二呼若灸者可灸一壯前谷在手小指外側本節前陷者中手太陽脉之所流也刺可入同身寸之一分留三呼若灸者可灸三壯後谿在手小指外則本節後陷者中手大陽脉之所注也刺可入同身寸之一分留二呼若灸者可灸一壯腕骨在手外側腕前起骨下陷者中手大陽脉之所過也刺可入同身寸之二分留三呼若灸者可灸三壯陽谷在手外側腕中銳骨之下陷者中手大陽脉之所行也刺可入同身寸之二分留三呼○新校正云按甲乙經作二呼○若灸者可灸三壯少海在肘內大骨外去肘端同身寸之五分陷者中屈肘乃得之手太陽脉之所入也刺可入司身寸之二分留七呼若灸者可灸五壯心包之府三焦三焦之井者關衝也滎液門也俞中渚也原陽池也經支溝也合天井也關衝在手小指次指之端去爪甲角如韭葉手少陽脉之所出也刺可入同身寸之一分留三呼若灸者可灸三壯液門在手

小指次指間陷者中手少陽脉之所流也刺可入同身寸之二分留二呼若灸者可灸三壯中渚在手小指次指本節後間陷者中手少陽脉之所注也刺可入同身寸之二分留三呼若灸者可灸三壯陽池在手表腕上陷者中手少陽脉之所過也刺可入同身寸之二分留六呼若灸者可灸三壯支溝在腕後同身寸之三寸兩骨之間陷者中手少陽脉之所行也刺可入同身寸之二分留七呼若灸者可灸三壯天井在肘外大骨之後同身寸之一寸兩筋間陷者中屈肘得之手少陽脉之所入也刺可入同身寸之一寸留七呼若灸者可灸三壯腎之府膀胱膀胱之井者至陰也滎通谷也俞束骨也原京骨也經崑崙也合委中也至陰在足小指外側去爪甲角如韭葉足太陽脉之所出也刺可入同身寸之一分留五呼若灸者可灸三壯通谷在小指外側本節前陷者中足太陽脉之所流也刺可入同身寸之二分留五呼若灸者可灸三壯束骨在足小指外側本節後赤白肉

際陷者中足大陽脉之所注也刺可入同身寸之三分留三呼若灸者可灸三壯京骨在足外側大骨下赤白肉際陷者中按而得之足太陽脉之所過也刺可入同身寸之一分留七呼若灸者可灸三壯崑崙在足外踝後跟骨上陷者中細脉動應手足太陽脉之所行也刺可入同身寸之五分留十呼若灸者可灸三壯委中在膕中央約文中動脉○新校正云詳委中穴與甲乙經及刺瘧篇註痺論註同又骨空論云在膝解之後曲脚之中背面取之又熱穴論註刺熱篇註云在足膝後屈處○足太陽脉之所入也刺可入同身寸之五分留七呼若灸者可灸三壯如是六府之俞府各六穴則三十六俞以左右脉俱而言之則七十二穴

熱俞五十九穴水俞五十七穴

並具水熱論中○新校正云按熱俞又見刺熱篇注

頭上五行行五五五二十五穴

此亦熱俞之五十九穴也

中胎兩傍各五凡十穴

謂五藏之背俞也肺俞在第三椎下兩傍心俞在第五椎下兩傍肝俞在第九椎下兩傍脾俞在第十一椎下兩傍腎俞在第十四椎下兩傍此五藏俞者各俠脊相去同身寸之一寸半並足太陽脉之會刺可入同身寸之三分肺俞留六呼餘並留七呼若灸者可灸三壯俠脊數之則十穴也

大椎上兩傍各一凡二穴

今甲乙經脉流注孔穴圖經並不載未詳何俞也○新校正云按大椎上傍無穴大椎下傍穴名大杼後有故王氏云未詳

目瞳子浮白二穴

瞳子髎在目外去眥同身寸之五分手太陽手足少陽三脉之會刺可入同身寸之三分若灸者可灸三壯浮白在耳後入髮際同身寸之一寸足太陽少陽二脉之會刺可入同身寸之三分若灸者可灸三壯左右言之各二爲四也

兩髀厭分中二穴

謂環跳穴也在髀樞後足少陽大陽二脉之會刺可入同身寸之一寸留二呼若灸者可灸三壯○新校正云按王氏云在髀樞後按甲乙經云在髀樞中後當作中灸三壯甲乙經作五壯

犢鼻二穴

在膝髕下胻上俠解大筋中足陽明脉氣所發刺可入同身寸之六分若灸者可灸三壯

耳中多所聞二穴

聽宮穴也在耳中珠子大如赤小豆手足少陽手大陽三脉之會刺可入同身寸之一分若灸者可灸三壯○新校正云按甲乙經云刺可入三分

眉本二穴

攢竹穴也在眉頭陷者中足大陽脉氣所發刺可入同身寸之三分留六呼若灸者可灸三壯

完骨二穴

在耳後入髮際同身寸之四分足大陽少陽之會刺可入同身寸之三分留七呼若灸者可灸三壯○新校正云刺可入三分灸七壯

項中央一穴

風府穴也在項上入髮際同身寸之一寸大筋内宛宛中督脉陽維二經之會疾言其肉立起言休其肉立下刺可入同身寸之四分留三呼灸之不幸使人瘖

枕骨二穴

竅陰穴也在完骨上枕骨下揺動應手足太陽少陽之會刺可入同身寸之三分若灸者可灸三壯○新校正云按甲乙經云刺可入四分可灸五壯

上關二穴

鍼經所謂刺之則故不能欠者也在耳前上廉起骨開口有空手少陽足陽明之會刺可入同身寸之三分留七呼若灸者可灸三壯刺深令人耳無所聞

大迎二穴

在曲頷前同身寸之一寸三分骨陷者中動脉足陽明脉氣所發刺可入同身寸之三分

留七呼若灸者可灸三壯

下關二穴

鍼經所謂刺之則欠不能𭋎者也在上關下耳前動脉下廉合口有空張口而閉足陽明少陽二脉之會刺可入同身寸之三分留七呼若灸者可灸三壯耳中有乾擿之不得灸也○新校正云按甲乙經擿之作擿抵擿音擿𭋎丘庶反

天柱二穴

在俠項後髮際大筋外廉陷者中足大陽脉氣所發刺可入同身寸之二分留六呼若灸者可灸三壯

巨虛上下廉四穴

上廉足陽明與大陽合也在膝犢鼻下䯒外廉同身寸之六寸足陽明脉氣所發刺可入

同身寸之八分若灸者可灸三壯下廉足陽明與少陽合也在上廉下同身寸之三寸足陽明脉氣所發刺可入同身寸之三分若灸者可灸三壯○新校正云按甲乙經并刺熱篇註水熱穴註上廉在三里下三寸此云犢鼻下六寸者蓋三里在犢鼻下三寸上廉又在三里下三寸故云六寸也

曲牙二穴

頰車穴也在耳下曲頰端陷者中開口有空足陽明脉氣所發刺可入同身寸之三分若灸者可灸三壯

天突一穴

已前釋也

天府二穴

在腋下同身寸之三寸臂臑内廉動脈手大陰脈氣所發禁不可灸刺可入同身寸之四分留三呼 臑奴到反

天牖二穴

在頸筋間缺盆上天容後天柱前完骨下髮際上手少陽脈氣所發刺可入同身寸之一寸留七呼灸者可灸三壯

扶突二穴

在頸當曲頷下同身寸之一寸人迎後手陽明脈氣所發仰而取之刺可入同身寸之四分若灸者可灸三壯

天窗二穴

在曲頰下扶突後動脈應手陷者中手太陽脈氣所發刺可入同身寸之六分若灸者可

灸三壯

肩解二穴

謂肩井也在肩上陷解中缺盆上大骨前手足少陽陽維之會刺可入同身寸之五分若灸者可灸三壯○新校正云按甲乙經灸五壯

關元一穴

新校正云詳此已前釋舊當篇再註今去之

委陽二穴

三焦下輔俞也在膕中外廉兩筋間此足太陽之別絡刺可入同身寸之七分留五呼若灸者可灸三壯屈伸而取之

肩貞一穴

在肩曲胛下兩骨解間肩髃後陷者中手大陽脉氣所發刺可入同身寸之八分若灸者可灸三壯

瘖門一穴

在項髮際宛宛中入係舌本督脉陽維二經之會仰頭取之刺可入同身寸之四分不可灸之令人瘖○新校正云按氣府註云去風府一寸

臍一穴

臍中也禁不可刺刺之使人臍中惡瘍潰矢出者死不可治若灸者可灸三壯

胷俞十二穴

謂腧府或中神藏靈墟神封步郎左右則十二穴也腧府在巨骨下俠任脉兩傍橫去任脉各同身寸之二寸陷者中下五穴遞相去同身寸之一寸六分陷者中並足少陰脉氣

所發仰而取之刺可入同身寸之四分若灸者可灸五壯

背俞二穴

大杼穴也在脊第一椎下兩傍相去各同身寸之一寸半陷者中督脉別絡手足大陽三脉氣之會刺可入同身寸之三分留七呼若灸者可灸七壯

膺俞十二穴

謂雲門中府周榮胷鄉天谿食竇左右則十二穴也○新校正云按甲乙經作周榮胷鄉○雲門在巨骨下俠任脉傍橫去任脉各同身寸之六寸○新校正云按水熱穴註作胷中行兩傍與此文雖異處所無別陷者中動脉應手雲門中府相去同身寸之一寸餘五穴遞相去同身寸之一寸六分陷者中並手大陰脉氣所發雲門食竇舉臂取之餘並仰而取之雲門刺可入同身寸之七分大深令人逆息中府刺可入同身寸之三分留五呼

餘刺可入同身寸之四分若灸者可灸五壯○新校正云詳王氏以此十二穴并手大陰按甲乙經雲門乃手大陰中府乃手足大陰之會周榮已下乃足大陰非十二穴並手大陰也

分肉二穴

在足外踝上絶骨之端同身寸之三分筋肉分間陽維脉氣所發刺可入同身寸之三分留七呼若灸者可灸三壯○新校正云按甲乙經無分肉穴詳處所疑是陽輔在足外踝上輔骨前絶骨端如前三分所又按刺腰痛註作絶骨之端如後二分刺入五分留十呼與此註小異

踝上横二穴

內踝上者交信穴也交信去內踝上同身寸之二寸少陰前大陰後筋骨間足陰蹻之郄

刺可入同身寸之四分留五呼若灸者可灸三壯外踝上附陽穴也附陽去外踝上同身寸之三寸大陽前少陰後筋骨間陽蹻之郄刺可入同身寸之六分留七呼若灸者可灸三壯○新校正云按甲乙經附陽作付陽

陰陽蹻四穴

陰蹻穴在足內踝下是謂照海陰蹻所生刺可入同身寸之四分留六呼若灸者可灸三壯陽蹻穴是謂申脈陽蹻所生在外踝下陷者中○新校正云按刺腰痛篇註作在外踝下五分繆刺論註云外踝下半寸○容爪甲刺可入同身寸之三分留七呼若灸者可灸三壯○新校正云按甲乙經留七呼作六呼刺腰痛篇註作十呼

水俞在諸分

分謂肉之分理間治水取之

熱兪在氣穴寫熱則取之

寒熱兪在兩骸厭中二穴骸厭謂膝外俠膝之骨厭中也

大禁二十五在天府下五寸謂五里穴也所以謂之大禁者謂其禁不可刺也鍼經曰迎之五里中道而上五至而已五往而藏之氣盡矣故五五二十五而竭其兪矣蓋謂此也又曰五里者尺澤之後五里與此文同

凡三百六十五穴鍼之所由行也新校正云詳自藏兪五十至此并重複共得三百六十穴通前天突十椎上紀下紀共三

百六十五穴除重複實有三百一十三穴

帝曰余已知氣穴之處遊鍼之居願聞孫絡谿谷亦有所應乎

孫絡小絡也謂絡之支別者

岐伯曰孫絡三百六十五穴會亦以應一歲以溢奇邪以通榮衛榮衛稽留衛散榮溢氣竭血著外為發熱内為少氣疾寫無怠以通榮衛見而寫之無問所會

榮積衛留内外相薄者見其血絡當即寫之亦無問其脉之俞會

帝曰願聞谿谷之會也岐伯曰肉之大會為谷

寒肉

肉之小會爲谿肉分之間谿谷之會以行榮衛以會大氣新校正按甲乙經作以舍大氣

邪溢氣壅脉熱肉敗榮衛不行必將爲膿內銷骨髓外破大膕熱過故致是

留於節湊必將爲敗若留於骨節之間津液所湊之處則骨節之間髓液皆潰爲膿故必敗爛筋骨而不得屈伸矣

積寒留舍榮衛不居卷肉縮筋

新校正云按全元起本作寒肉縮筋

肋肘不得伸内爲骨痺外爲不仁命曰不足大寒留於谿谷也

邪氣盛甚真氣不榮髓液内消故爲是也不足謂陽氣不足也寒邪外薄久積淹留陽不小勝内消筋髓故曰不足大寒留於谿谷之中也

谿谷三百六十五穴會亦應一歲其小痺滛溢循脉往來微鍼所及與法相同

若小寒之氣流行滛溢隨脉往來爲痺病用鍼調者與常法相同爾

帝乃辟左右而起再拜曰今日發蒙解惑藏之金匱不敢復出乃藏之金蘭之室署曰氣穴所

在岐伯曰孫絡之脉别經者其血盛而當寫者亦三百六十五脉並注於絡得傳注十二絡脉非獨十四絡脉也

十四絡者謂十二經絡兼任脉督脉之絡也脾之大絡起自於脾故不并言之也

内解寫於中者十脉

解謂骨解之中經絡也雖則别行然所受邪亦遂注寫於五藏之脉左右各五故十脉也

○氣府論篇第五十九

新校正云按全元起本在第二卷

足太陽脉氣所發者七十八穴

兼氣浮薄相通者言之當言九十三穴非七十八穴也正經脉會發者七十八穴浮薄相

頂

通者一十五穴則其數也

兩眉頭各一

謂攢竹穴也所在刺灸分壯與氣穴同法

入髮至項三寸半傍五相去三寸

謂大杼風門各二穴也所在刺灸分壯與氣穴同法○新校正云按別本云入髮至項三十又註云寸同身寸也諸寸同法與此註全別此註謂大杼風門各二穴所在灸刺分壯與此氣穴同法今氣穴篇中無風門穴而註言與註同法此註之非可見此非王氏之誤設在後人詳此入髮至項三寸半傍五相去三寸蓋是說下文浮氣之在皮中五行行五之穴故王都不解繹直云寸為同身寸也但以頂誤作項剩半字耳所以言入髮至頂者自入髮顖會穴至頂百會凡三寸自百會後至後頂又三寸故云入髮至頂三寸傍五者

爲無中行傍數有五行也相去三寸者蓋謂自百會頂中數左右前後各三寸有五行行五共二十五穴也後人誤將頂爲項以爲大杼風門此甚誤也况大杼在第一推下兩傍風門又在第二推下相去髮際非止三寸半也其誤甚明顖音信

其浮氣在皮中者凡五行行五五五二十五

浮氣謂氣浮而通之可以去熱者也五行謂頭上自髮際中同身寸之二寸後至頂之後者也二十五者其中行則顖會前頂百會後頂強間五督脉氣也次俠傍兩行則五處承光通天絡却玉枕各五本經氣也又次傍兩行則臨泣目窓正營承靈腦空各五足少陽氣也兩傍四行各五則二十穴中行五則二十五也其刺灸分壯與水熱穴同法

項中大筋兩傍各一

謂天柱二穴也所在刺灸分壯與氣穴同法

風府兩傍各一

謂風池二穴也刺灸分壯與氣穴同法○新校正云按甲乙經風池足少陽陽維之會非太陽之所發也經言風府兩傍乃天柱穴之分位此亦覆明上項中大筋兩傍穴也此註剩出風池二穴於九十三數外更剩前大杼風門及此風池六穴也

俠背以下至尻尾二十一節十五間各一

十五間各一者今中誥孔穴圖經所存者十三穴左右共二十六謂附分魄户神堂譩譆鬲關魂門陽綱意舍胃倉肓門志室胞肓秩邊十三也附分在第二椎下附項內廉兩傍各相去俠脊同身寸之三寸足太陽之會刺可入同身寸之八分若灸者可灸五壯魄户在第三椎下兩傍上直附分足太陽脉氣所發下十二穴並同正坐取之刺可入同身寸之五分若灸者如附分法神堂在第五椎下兩傍上直魄户刺可入同身寸之三分灸同

附分法譩譆在第六椎下兩傍上直神堂○新校正云按骨空論註云以手厭之令病人呼譩譆之聲則指下動矣○刺可入同身寸之六分留七呼灸如附分法鬲關在第七椎下兩傍上直譩譆正坐開肩取之刺可入同身寸之五分若灸者可灸三壯○新校正云按甲乙經云可灸五壯○魂門在第九椎下兩傍上直鬲關正坐取之刺灸分壯如鬲關法陽綱在第十椎下兩傍上直魂門正坐取之刺灸分壯如魂門法意舍在第十一椎下兩傍上直陽綱正坐取之刺灸分壯如陽綱法胃倉在第十二椎下兩傍上直意舍刺灸分壯如意舍法肓門在第十三椎下兩傍上直胃倉刺同胃倉可灸三十壯○新校正云按肓門灸三十壯與甲乙經同水穴註作灸三壯○志室在第十四椎下兩傍上直肓門正坐取之刺灸分壯如魄戶法胞肓在第十九椎下兩傍上直志室伏而取之刺灸分壯如魄戶法○新校正云按志室胞肓灸如魄戶五壯甲乙經作三壯水穴註亦作三壯熱

穴註志室亦作三壯挾邊在第二十一椎下兩傍上直胞肓伏而取之刺灸分壯如䐈户法

譩音衣

譆音喜

五藏之俞各五六府之俞各六

肺俞在第三椎下兩傍俠脊相去各同身寸之一寸半刺可入同身寸之三分留七呼若灸者可灸三壯心俞在第五椎下兩傍相去及刺如肺俞法留七呼肝俞在第九椎下兩傍相去及刺如心俞法留六呼脾俞在第十一椎下兩傍相去及刺如肝俞法留七呼腎俞在第十四椎下兩傍相去及刺如脾俞法留七呼膽俞在第十椎下兩傍相去及刺如肺俞法正坐取之刺可入同身寸之五分留七呼胃俞在第十二椎下兩傍相去及刺如脾俞法留七呼三焦俞在第十三椎下兩傍相去及刺如膽俞法大腸俞在第十六椎下兩傍相去及刺如肺俞法留六呼小腸俞在第十八椎下兩傍相去及刺如心俞法留六

呼膀胱俞在第十九椎下兩傍相去及刺如膂俞法留六呼五藏六府之俞若灸者並可灸三壯○新校正云詳或者疑經中各五各六以各字爲誤者非也所以言各者謂左右各五各六非謂每藏府而各五各六也

委中以下至足小指傍各六俞

謂委中崑崙京骨束骨通谷至陰六穴也左右言之則十二俞也其所在刺灸如氣穴法經言脉氣所發者七十八穴今此所有兼亡者九十三穴由此則大數差錯傳寫有誤也○新校正云詳王氏云兼亡者九十三穴今兼大杼風門風池爲九十九穴以此王氏總數考之明知此三穴後之妄增也

足少陽脉氣所發者六十二穴兩角上各二

謂天衝曲鬢左右各二也天衝在耳上如前同身寸之三分足太陽少陽二脉之會刺可

入同身寸之三分若灸者可灸三壯曲鬢在耳上入髮際曲隅陷者中鼓頷有空足太陽少陽二脉之會刺灸分壯如天衝法

直目上髮際内各五

謂臨泣目窻正營承靈腦空左右是也臨泣在直目上入髮際同身寸之五分足太陽少陽陽維三脉之會留七呼目窻在臨泣後同身寸之一寸正營在目窻後同身寸之一寸承靈在正營後同身寸之一寸半腦空在承靈後同身寸之一寸半俠枕骨後枕骨上並足少陽陽維二脉之會刺可入同身寸之四分餘並刺可入同身寸之三分若灸者並可灸五壯○新校正云按腦空在枕骨上枕骨上甲乙經作玉枕骨下

耳前角上各一

謂頷厭二穴也在曲角下顳顬之上上廉手足少陽陽明三脉之會刺可入同身寸之

七分留七呼若灸者可灸三壯刺深
令人耳無所聞[顳]仁涉反[顬]汝車反

耳前角下各一

謂懸釐二穴也在曲角上顳顬之下廉手足
少陽陽明四脉之交會刺可入同身寸之三
分留七呼若灸者可灸三壯○新校正云按
經手少陽中云角上此云角下必有一誤

鋭髮下各一

謂和髎二穴也在耳前鋭髮下横動脉手足
少陽二脉之會刺可入同身寸之三分若灸
者可灸三壯○新校正云按甲
乙經云手足少陽手太陽之會

客主人各一

客主人穴名也在耳前上廉起骨開口有空
手足少陽足陽明三脉之會刺可入同身寸
之三分留七呼若灸者可灸三壯○新校正
云按甲乙經及氣穴注刺禁註並云手少陽

足陽明之會與此異

耳後陷中各一

謂翳風二穴也在耳後陷者中按之引耳中手足少陽二脈之會刺可入同身寸之三分若灸者可灸三壯

下關各一

下關穴名也所在刺灸氣穴同法

耳下牙車之後各一

謂頰車二穴也刺灸分壯氣穴同法

缺盆各一

缺盆穴名也在肩上橫骨陷者中足陽明脉氣所發刺可入同身寸之二分留七呼若灸

者可灸三壯大深令人逆息○新校正云按骨空註作手陽明

腋下三寸脇下至胠八間各一

腋下三寸同身寸也腋下謂淵腋輒筋天池脇下至胠則日月章門帶脉五樞維道居髎九穴也左右共十八穴也淵腋在腋下同身寸之三寸足少陽脉氣所發舉臂得之刺可八同身寸之三分禁不可灸輒筋在腋下同身寸之三寸腹前行同身寸之一寸搓脇○新校正云按甲乙經搓作著下同足少陽脉氣所發刺可入同身寸之六分若灸者可灸三壯天池在乳後同身寸之二寸○新校正云按甲乙經作一寸腋下三寸搓脇直腋撅脇間手心主足少陽二脉之會刺可入同身寸之三分○新校正云按甲乙經作七分若灸者可灸三壯日月膽募也在第三肋端横直心蔽骨傍各同身寸之二寸五分上直兩乳○新校正云按甲乙經云日月在期門下五分○足太陰少陽二脉之會刺可入同身

寸之七分若灸者可灸五壯章門脾募也在季肋端足厥陰少陽二脉之會側臥屈上足伸下足舉臂取之刺可入同身寸之八分留六呼若灸者可灸三壯帶脉在季肋下同身寸之一寸八分足少陽帶脉二經之會刺可入同身寸之六分若灸者可灸五壯五樞在帶脉下同身寸之三寸足少陽帶脉二經之會刺可入同身寸之一寸若灸者可灸五壯維道在章門下同身寸之五寸三分足少陽帶脉二經之會刺灸分壯如章門法居髎在章門下同身寸之四寸三分髂骨上○新校正云按甲乙經作監骨上陷者中陽蹻足少陽二脉之會刺灸分壯如維道法所以謂之八間者自腋下三寸至季肋凡八肋骨

髀樞中傍各一

謂環跳二穴也刺灸分壯氣穴同法○新校正云按氣穴論云兩髀厭分中王註若[illegible]誤八又甲乙經註環跳在髀樞中今云髀樞中傍各一穴者蓋謂此穴在髀樞中也傍各一者

謂左右各一穴也非謂環跳在髀樞中傍也

膝以下至足小指次指各六俞

謂陽陵泉陽輔丘墟臨泣俠谿竅陰六穴也左右言之則十二俞也其所在刺灸分壯氣穴同法

足陽明脉氣所發者六十八穴額顱髮際傍各三

謂懸顱陽白頭維左右共六穴也正面髮際横行數之懸顱在曲角上顳顬之中足陽明脉氣所發刺入同身寸之三分留三呼若灸者可灸三壯陽白在眉上同身寸之一寸直瞳子足陽明陰維二脉之會刺可入同身寸之三分灸三壯頭維在額角髮際俠本神兩傍各同身寸之一寸五分足少陽陽明二脉之交會刺可入同身寸之五分禁不可灸○

新校正云按甲乙經陽白足少陽陽維之會今王氏註云足陽明陰維之會詳此在足陽明脉氣所發中則足陽明近是然陽明經不到此又不與陰維會疑王註非甲乙經爲得矣

面鼽骨空各一

謂四白穴也在目下同身寸之一寸足陽明脉氣所發刺可入同身寸之四分不可灸○新校正云按甲乙經刺可入三分灸七壯

大迎之骨空各一

大迎穴名也在曲頷前同身寸之一寸三分骨陷者中動脉足陽明脉氣所發刺可入同身寸之三分留七呼若灸者可灸三壯

人迎各一

人迎穴名也在頸俠結喉傍大脈動應手足陽明脈氣所發刺可入同身寸之四分過深殺人禁不可灸

缺盆外骨空各一

謂天髎二穴也在肩缺盆中上伏骨之陬陷者中手足少陽陽維三脈之會刺可入同身寸之八分若灸者可灸三壯○新校正云按甲乙經伏骨作毖骨毖音秘

膺中骨間各一

謂膺窓等六穴也膺窓在胸兩傍俠中行各相去同身寸之四寸巨骨下同身寸之四寸八分陷者中足陽明脈氣所發仰而取之刺可入同身寸之四分若灸者可灸五壯此穴之上又有氣户庫房屋翳下又有乳中乳根氣户在巨骨下下直膺窓去膺窓上同身寸之四寸八分庫房在氣户下同身寸之一寸六分屋翳在氣户下同身寸之三寸二分下

即膺窓也膺窓之下即乳中也乳中穴下同身寸之一寸六分陷者中則乳根穴也並足陽明脉氣所發仰而取之乳中禁不可灸刺灸刺之不幸生蝕瘡瘡中有清汁膿血者可治瘡中有瘜肉若蝕瘡者死餘五穴並刺可入同身寸之四分若灸者可灸三壯○新校正云按甲乙經灸五壯

俠鳩尾之外當乳下三寸俠胃脘各五

謂不容承滿梁門關門太一五穴也左右共十也俠腹中行兩傍相去各同身寸之四寸○新校正云按甲乙經云各二寸疑此註剩各字○不容在第四肋端下至太一各上下相去同身寸之一寸並足陽明脉氣所發刺可入同身寸之八分若灸者可灸三壯○新校正云按甲乙經不容刺入八五分此云並入八分疑此註誤

俠臍廣三寸各三

廣謂去臍橫廣也廣三寸者各如太一之遠近也各三者謂滑肉門天樞外陵也滑肉門在太一下同身寸之一寸正當於臍外陵在天樞下同身寸之一寸並足陽明脈氣所發天樞刺可入同身寸之五分留七呼滑肉門外陵各刺可入同身寸之八分若灸者並可五壯○新校正云按甲乙經天樞在臍傍各二寸上曰滑肉門下曰外陵是三穴者去臍各二寸也今此經注云廣三寸素問甲乙經不同然甲乙經分寸與諸書同特此經為異也

下臍二寸俠之各三

下臍二寸則外陵下同身寸之一寸大巨穴也各三者謂大巨水道歸來也大巨在外陵下同身寸之一寸足陽明脈氣所發刺可入同身寸之八分若灸者可灸五壯水道在大巨下同身寸之三寸足陽明脈氣所發刺可入同身寸之二寸半若灸者可灸五壯歸來在水道下同身寸之二寸刺可入同身寸之八分若灸者可灸五壯

氣衝動脉各一

氣衝穴名也在歸來下鼠鼷上同身寸之一寸脉動應手足陽明脉氣所發刺可入同身寸之三分留七呼若灸者可灸三壯○新校正云詳此注與甲乙經同刺熱注及熱穴注云氣衝在腹臍下横骨兩端鼠鼷上刺禁論注在腹下俠臍兩傍相去四寸鼠僕上骨空注云在毛際兩傍鼠鼷上諸注不同今備録之

伏兔上各一

謂髀關二穴也在膝上伏兔後交分中刺可入同身寸之六分若灸者可灸三壯

三里以下至足中指各八俞分之所在穴空

謂三里上廉下廉解谿衝陽陷谷内庭厲兌八穴也左右言之則十六俞也上廉足陽明與大腸合下廉足陽明與小腸合其所在刺灸分壯與氣穴同法所謂分之所在穴空者

足陽明脈自三里穴分而下行其直者循䯒過跗入中指出其端則屬兌也其支者與直俱行至足跗上入中指次間故云分之所在穴空也之往也言分而各行往指間穴空處也

手太陽脈氣所發者三十六穴目內眥各一

謂睛明二穴也在目內眥手足太陽足陽明陰蹻陽蹻五脈之會刺可入同身寸之一分留六呼若灸者可灸三壯諸穴有云數脈會發而不於所會刺脈下言之者出從其正者也

目外各一

謂瞳子髎二穴也在目外去眥同身寸之五分手太陽手足少陽三脈之會刺可入同身寸之三分若灸者可灸三壯

䪼骨下各一

謂顴髎二穴也䪼頄也頄面顴也在面頄骨下陷者中手太陽少陽二脉之會刺可入同身寸之二分䪼音仇

耳郭上各一

謂角孫二穴也在耳上郭表之中間上髮際之下開口有空手太陽手足少陽三脉之會刺可入同身寸之三分若灸者可灸三壯○新校正云按甲乙經手太陽作手陽明

耳中各一

謂聽宫二穴也所在刺灸分壯與氣穴同法

巨骨穴各一

巨骨穴名也在肩端上行兩叉骨間陷者中手陽明蹻脉二經之會刺可入同身寸之一

寸半若灸者可灸三壯○新校正云按甲乙經作五壯

曲腋上骨穴各一

謂臑俞二穴也在肩臑後大骨下胛上廉陷者中手太陽陽維蹻脉三經之會舉臂取之刺可入同身寸之八分若灸者可灸三壯○新校正云按甲乙經作手足太陽

柱骨上陷者各一

謂肩井二穴也在肩上陷解中缺盆上大骨前手足少陽陽維三脉之會刺可入同身寸之五分若灸者可灸三壯

上天窗四寸各一

謂天窗竅陰四穴也所在刺灸分壯與氣穴同法

肩解各一

謂秉風二穴也在肩上小髃骨後舉臂有空手太陽陽明手足少陽四脉之會舉臂取之刺可入同身寸之五分若灸者可灸三壯○新校正云按甲乙經灸五壯

肩解下三寸各一

謂大宗二穴也在秉風後大骨下陷者中手太陽脉氣所發刺可入同身寸之五分留六呼若灸者可灸三壯

肘以下至手小指本各六俞

六俞所起於指端經言至小指本則以端爲本言上之本也下文陽明之陽同也六俞謂小海陽谷腕骨後谿前谷少澤六穴也左右言之則十二俞也其所在刺灸分壯氣穴同法○新校正云按此手太陽陽明少陽三經各言至手某指本王註以端爲本者非也詳手三陽之井穴盡出手某指之端爪甲下際此言本者是逐指爪甲之本也又安得以端

爲本誤

手陽明脉氣所發者二十二穴鼻空外廉項上各二

謂迎香扶突各二穴也迎香在鼻下孔傍手足陽明二脉之會刺可入同身寸之三分扶突在曲頰下同身寸之二寸人迎後手陽明脉氣所發仰而取之刺可入同身寸之四分若灸者可灸三壯

大迎骨空各一

大迎穴名也在曲頷前同身寸之一寸三分骨陷者中動脉足陽明脉氣所發刺可入同身寸之三分留七呼若灸者可灸三壯○新校正云詳大迎穴已見前足陽明經中今又見於此王氏不註所以當如顴髎穴兩出之義

柱骨之會各一

謂天鼎二穴也在頸缺盆上直扶突氣舍後同身寸之半寸手陽明脉氣所發刺可入同身寸之四分若灸者可灸三壯○新校正云按甲乙經作一寸半

髃骨之會各一

謂肩髃二穴也所在刺灸分壯與氣穴同法○新校正云按髃骨氣穴註中無刺熱註水熱穴註骨空論註中有之

肘以下至手大指次指本各六俞

謂三里陽谿合谷三間二間商陽六穴也左右言之則十二俞也所在刺灸分壯與氣穴同法○新校正云按氣穴論註有曲池而無三里曲池手陽明之合也此誤出三里而遺曲池也

手少陽脉氣所發者三十二穴鼽骨下各一

謂顴髎二穴也所在刺灸分壯與手少陽脉同法此穴中手少陽太陽脉氣俱會於中等無優劣故重說於此下有者同

眉後各一

謂絲竹空二穴也在眉後陷者中手少陽脉氣所發刺可入同身寸之三分留六呼不可灸灸之不幸使人目小及盲○新校正云按甲乙經手少陽作足少陽留六呼作三呼

角上各一

謂懸釐二穴也此與足少陽脉中同以是二脉之會也○新校正云按足少陽脉中言角下此云角上疑此誤

下完骨後各一

謂天牖二穴也所在刺灸分壯與氣穴同

項中足太陽之前各一

謂風池二穴也在耳後陷者中按之引於耳中手足少陽脉之會刺可入同身寸之四分若灸者可灸三壯○新校正云按甲乙經在顳顬後髮際足少陽陽維之會刺可入三分

俠扶突各一

謂天窗二穴也在曲頰下扶突後動脉應手陷者中手太陽脉氣所發刺可入同身寸之六分若灸者可灸三壯

肩貞各一

肩貞穴名也在肩曲胛下兩骨解間肩髃後陷者中手太陽脉氣所發刺可入同身寸之八分若灸者可灸三壯

肩貞下三寸分間各一

謂肩髎臑會消濼各二穴也其穴各在肉分間也肩髎在肩端臑上斜舉臂取之手少陽脉氣所發刺可入同身寸之七分若灸者可灸三壯臑會在臂前廉去肩端同身寸之三寸手陽明少陽二絡氣之會刺可入同身寸之五分灸者可灸五壯消濼在肩下臂外開腋斜肘分下行間手少陽脉之會刺可入同身寸之五分若灸者可灸三壯

肘以下至手小指次指本各六俞

謂天井支溝陽池中渚腋門關衝六穴也左右言之則十二俞也所在刺灸分壯與氣穴同法

督脉氣所發者二十八穴

今少一穴○新校正云按會陽二穴爲二十九穴乃剩一穴非少也少當作剩字

項中央二

是謂風府瘖門二穴也悉在項中餘二穴亡風府在項上入髮際同身寸之一寸大筋內宛宛中督脉陽維之會刺可入同身寸之四分留三呼不可妄灸灸之不幸令人瘖瘖門在項髮際宛宛中去風府同身寸之一寸督脉陽維二經之會仰頭取之刺可入同身寸之四分禁不可灸灸之令人瘖○新校正云按王氏云風府瘖門悉在項中餘一穴今亡者非謂此二十八穴中亡一穴也王氏蓋見氣穴論大椎上兩傍各一穴亦在項之穴也今亡故云餘一穴今亡也

髮際後中八

謂神庭上星顖會前頂百會後頂強間腦户八穴也其正髮際之中也神庭在髮際直鼻督脉足太陽陽明脉三經之會禁不可刺若刺之令人巔疾目失睛若灸者可灸三壯上

星在顱上直鼻中央入髮際同身寸之一寸陷者中容豆顖會在上星後同身寸之一寸陷者中前頂在顖會後同身寸之一寸五分骨間陷者中百會在前頂後同身寸之一寸五分頂中央旋毛中陷容指督脈足太陽之交會後頂在百會後同身寸之一寸五分強間在後頂後同身寸之一寸五分腦户在強間後同身寸之一寸五分督脈足太陽之會不可灸此八者並督脈氣所發也上星百會強間腦户各刺可入同身寸之三分上星留六呼腦户留三呼餘並刺可入同身寸之四分若灸者可灸五壯○新校正云按甲乙經腦户不可灸骨空論註云不可妄灸

面中三

謂素髎水溝齗交三穴也素髎在鼻柱上端督脈氣所發刺可入同身寸之三分水溝在鼻柱下人中直脣取之督脈手陽明之會刺可入同身寸之三分留六呼若灸者可灸三

壯斷交在唇內齒上斷縫督脉任脉二經之會可逆刺之入同身寸之三分若灸者可灸三壯此三者正居面左右之中也

大推以下至尻尾及傍十五穴

脊推之間有大推陶道身柱神道靈臺至陽筋縮中樞脊中懸樞命門陽關腰俞長強會陽十五俞也大推在第一推上陷者中三陽督脉之會陶道在項大推節下間督脉足太陽之會俛而取之身柱在第二推節下間俛而取之神道在第五推節下間俛而取之靈臺在第六推節下間俛而取之至陽在第七推節下間俛而取之筋縮在第九推節下間俛而取之中樞在第十推節下間俛而取之脊中在第十一推節下間俛而取之禁不可灸令人僂懸樞在第十三推節下間伏而取之命門在第十四推節下間伏而取之陽關在第十六推節下間坐而取之腰俞在第二十一推節下間長強在脊骶端督脉別絡少

陰二脉所結會陽穴在陰尾骨兩傍凡此十五者並督脉氣所發腰俞長強各刺可入同身寸之二分○新校正云按甲乙經作二寸水穴論註作二分腰俞穴繆刺論註作二寸熱穴註作二寸刺熱註作二分諸註不同雖甲乙經作二寸疑大深與其失之深不若失之淺宜作二分之說○留七呼懸樞刺可入同身寸之三分會陽刺可入同身寸之八分餘並刺可入同身寸之五分陶道神道各留五呼陶道身柱神道筋縮可灸五壯大椎可九壯餘並可三壯○新校正云按甲乙經無靈臺中樞陽關三穴

至骶下凡二十一節脊椎法也通項骨三節即二十四節

任脉之氣所發者二十八穴今少一穴

内經八　三十五

喉中央二

謂廉泉天突二穴也廉泉在頷下結喉上舌本下陰維任脉之會刺可入同身寸之三分留三呼若灸者可灸三壯天突在頸結喉下同身寸之四寸中央宛宛中陰維任脉之會低鍼取之刺可入同身寸之一寸留七呼若灸者可灸三壯

膺中骨陷中各一

謂璇璣華蓋紫宮玉堂膻中中庭六穴也璇璣在天突下同身寸之一寸華蓋在璇璣下同身寸之一寸紫宮玉堂膻中中庭各相去同身寸之一寸六分陷者中並任脉氣所發仰而取之各刺可入同身寸之三分若灸者可灸五壯

鳩尾下三寸胃脘五寸胃脘以下至横骨六寸半一

新校正云詳一字疑誤

腹脉法也

鳩尾心前穴名也其正當心蔽骨之端言其骨垂下如鳩鳥尾形故以爲名也鳩尾下有鳩尾巨闕上脘中脘建里下脘水分臍中陰交脖胦丹田關元中極曲骨十四俞也鳩尾在蔽前蔽骨下同身寸之五分任脉之别不可灸刺人無蔽骨者從岐骨際下行同身寸之一寸○新校正云按甲乙經云一寸半爲鳩尾處也下次巨闕上脘中脘建里下脘水分遞相去同身寸之一寸上脘則足陽明手太陽之會中脘則手太陽少陽足陽明三脉所生也臍中禁不可刺若刺之使人臍中惡瘍潰矢出者死不治陰交在臍下同身寸之一寸任脉陰衝之會脖胦在臍下同身寸之一寸半丹田三焦募也在臍下同身寸之二寸關元小腸募也在臍下同身寸之三寸足三陰任脉之會也中極在關元下一寸足三

陰之會也曲骨在橫骨上中極下同身寸之一寸足厥陰之會九此十四者並任脉氣所發建里丹田並刺可入同身寸之六分留七呼○新校正云按甲乙經作五分十呼○上脘陰交並刺可入同身寸之八分下脘水分並刺可入同身寸之一寸中脘臍胦並刺可入同身寸之一寸二分曲骨刺可入同身寸之一寸半留七呼餘並刺可入同身寸之一寸二分若灸者關元中脘各可灸七壯臍中中極曲骨各三壯餘並可五壯自鳩尾下至陰間並任脉主之腹脉法也○新校正云據此註云餘並刺入一寸二分關元在中與甲乙經及氣穴骨空註刺入二寸不同當從甲乙經之寸數

下陰別一

謂會陰一穴也自曲骨下至陰陰之下兩陰之間則此穴也是任脉別絡俠督脉者衝脉之會故曰下陰別一也刺可入同身寸之二寸留七呼若灸者可灸三壯○新校正云按

甲乙經七呼作三呼

目下各一謂承泣二穴也在目下同身寸之七分上直瞳子陽蹻任脈足陽明三經之會刺可入同身寸之三分不可灸

下脣一謂承漿穴也在頤前下脣之下足陽明脈任脈之會開口取之刺可入同身寸之二分留五呼若灸者可灸三壯○新校正云按甲乙經作六呼

齗交一齗交穴名也所在刺灸分壯與脈法同

衝脈氣所發者二十二穴俠鳩尾外各半寸至

臍寸一

謂幽門通谷陰都石關商曲肓俞六穴左右兩十二穴也幽門俠巨闕兩傍相去各同身寸之半寸陷者中下五穴各相去同身寸之一寸並衝脉足少陰二經之會各刺可入同身寸之一寸若灸者可灸五壯○新校正云按此云各刺入一寸按甲乙經云幽門通谷刺入五分

俠臍下傍各五分至横骨寸一腹脉法也

謂中注髓府胞門陰關下極五穴左右則十穴也中注在肓俞下同身寸之五分上直幽門下四穴各相去同身寸之一寸並衝脉足少陰二經之會各刺可入同身寸之一寸若灸者可灸五壯

足少陰舌下厥陰毛中急脉各一

足少陰舌下二穴在人迎前陷中動脈前是日月本左右二也足少陰脉氣所發刺可入同身寸之四分急脉在陰髦中陰上兩傍相去同身寸之二寸半按之隱指堅然甚按則痛引上下也其左者中寒則上引少腹下引陰丸善爲痛爲小腹急中寒此兩脉皆厥陰之大絡通行其中故曰厥陰急脉即睪之系也可灸而不可刺病疝少腹痛即可灸○新校正云詳舌下毛中之穴甲乙經無

手少陰各一

謂手少陰郄穴也在腕後同身寸之半寸手少陰郄也刺可入同身寸之三分若灸者可灸三壯左右二也

陰陽蹻各一

陰蹻一謂交信穴也交信在足內踝上同身寸之二寸少陰前太陰後筋骨間陰蹻之郄

刺可入同身寸之四分留五呼若灸者可灸三壯陽蹻一謂附陽穴也附陽在足外踝上同身寸之三寸太陽前少陽後筋骨間謹取之陽蹻之郄刺可入同身寸之六分留七呼若灸者可灸三壯左右四也

手足諸魚際脉氣所發者凡三百六十五穴也

經之所存者多凡一十九穴此所謂氣府也然散穴俞諸經經脉部分皆有之故經或不言而甲乙經經脉流注多少不同者以此

○骨空論篇第六十

新校正云按全元起本在第二卷自灸寒熱之法已下在第六卷刺齊篇末

黄帝問曰余聞風者百病之始也以鍼治之柰何

始初也

岐伯對曰：風從外入，令人振寒，汗出頭痛，身重惡寒，風中身形則腠理閉密，陽氣內拒，寒復外勝，腠拒相薄，榮衛失所，故如是。

治在風府，風府，穴也，在項上入髮際同身寸之一寸宛宛中，督脈、足太陽之會，刺可入同身寸之四分，若灸者可灸五壯。○新校正云：按風府，詳《氣穴論》《氣府論》中各已註，與《甲乙經》同，此註云督脈、足太陽之會，可灸五壯者，乃是風門熱府穴也，當云督脈、陽維之會，留三呼，不可灸，乃是。

調其陰陽，不足則補，有餘則寫。

用鍼之道必法天常
盛寫虛補此其常也

大風頸項痛刺風府風府在上椎

上椎謂大椎上入髮
際同身寸之一寸

大風汗出灸譩譆譩譆在背下俠脊傍三寸所
厭之令病者呼譩譆譩譆應手

譩譆穴也在肩膊内亷俠第六椎下兩傍各
同身寸之三寸以手厭之令病人呼譩譆之
聲則指下動矣足太陽脉氣所發刺可入同
身寸之六分留七呼若灸者可灸五壯譩譆
者因取爲名
爾膊音愽

從風憎風刺眉頭

謂攢竹穴也在眉頭陷者中脉動應手足太
陽脉氣所發刺可入同身寸之三分若灸者

可灸三壯

失枕在肩上橫骨間

謂缺盆穴也在肩上橫骨陷者中手陽明脉氣所發刺可入同身寸之二分留七呼若灸者可灸三壯刺入深令人逆息○新校正云按氣府註作足陽明此云手陽明詳二經俱發於此故王註兩言之

折使揄臂齊肘正灸脊中

揄讀爲搖搖謂搖動也然失枕非獨取肩上橫骨間亦當正形灸脊中也欲而驗之則使搖動其臂屈折其肘自項之下橫齊肘端當其中間則其處也是曰陽關在第十六椎節下間督脉氣所發刺可入同身寸之五分若灸者可灸三壯○新校正云詳陽關穴甲乙經無

䏚絡季脇引少腹而痛脹刺譩譆

䏚謂俠脊兩傍空軟處也少腹臍下也

腰痛不可以轉搖急引陰卵刺八髎與痛上八髎在腰尻分間

八或爲九驗眞骨及中誥孔穴經止有八髎無九髎也分謂腰尻筋肉分間䐃下處

鼠瘻寒熱還刺寒府寒府在附膝外解營

膝外骨間也屈伸之處寒氣喜中故名寒府也解謂骨解解營謂深刺而必中其營也

取膝上外者使之拜取足心者使之跪

拜而取者使膝外空開也跪而取之者令足心宛宛處深定也

任脉者起於中極之下以上毛際循腹裏上關

元至咽喉上頤循面入目

新校正云按難經甲乙經無上頤循面入目六字

衝脉者起於氣街並少陰之經

新校正云按難經甲乙經作陽明

俠臍上行至胷中而散

任脉衝脉者奇經也任脉當臍中而上行衝脉俠臍兩傍而上行然中極者謂臍下同身寸之四寸也言中極之下者言中極從少腹之內上行而外出於毛際而上非謂本起於此也關元者謂臍下同身寸之三寸也氣衝者穴名也在毛際兩傍鼠鼷上同身寸之一寸也言衝脉起於氣街者亦從少腹之內與任脉並行而至於是乃循腹也何以言之鍼經曰衝脉者十二經之海與少陰之絡起於腎下出於氣街又曰衝脉任脉者皆起於胞

中上循脊裏爲經絡之海其浮而外者循腹各行會於咽喉别而絡脣口血氣盛則皮膚熱血獨盛則滲灌皮膚生毫毛由此言之則任脉衝脉從少腹之内上行至中極之下氣街之内明矣○新校正云按氣街與氣府論刺熱篇水熱穴篇刺禁論等註重文雖不同處所無别備註氣府論中

任脉爲病男子内結七疝女子帶下瘕聚衝脉爲病逆氣裏急督脉爲病脊強反折

督脉亦奇經也然任脉衝脉督脉者一源而三岐也故經或謂衝脉爲督脉也何以明之今甲乙及古經脉流注圖經以任脉循背者謂之督脉自少腹直上者謂之任脉亦謂之督脉是則以背腹陰陽别爲名目爾以任脉自胞上過帶脉貫臍而上故男子爲病内結七疝女子爲病則帶下瘕聚也以衝脉俠臍而上並少陰之經上至胷中故衝脉爲病則

逆氣裏急也以督脉上循脊裏故督脉為病則脊強反折也

督脉者起於少腹以下骨中央女子入繫廷孔

起非初起亦猶任脉衝脉起於胞中也其實乃起於腎下至於少腹則下行於腰横骨圍之中央也繫廷孔者謂窈漏近所謂前陰穴也以其陰挺繫屬於中故名之

其孔溺孔之端也

孔則窈漏也窈漏之中其上有溺孔焉端謂陰挺在此溺孔之上端也而督脉自骨圍中央則至於足

其絡循陰器合篡間繞篡後

督脉别絡自溺孔之端分而各行下循陰器乃合篡間也所謂間者謂前陰後陰之兩間也自兩間之後已復分而行繞篡之後

别繞臀至少陰與巨陽中絡者合少陰上股內後廉貫脊屬腎

别謂别絡分而各行之於焦也足少陰之絡者自股內後廉貫脊屬腎足太陽絡之外行者循髀樞絡股陽而下其中行者下貫臀至膕中與外行絡合故言至少陰與巨陽中絡合少陰上股內後廉貫脊屬腎也○新校正云詳各行於焦疑焦字誤

與太陽起於目內眥上額交巔上入絡腦還出别下項循肩髆內俠脊抵腰中入循膂絡腎

接繞臀而上行也

其男子循莖下至篡與女子等其少腹直上者貫臍中央上貫心入喉上頤環脣上繫兩目之

下中央

自與太陽起於目内眥下至女子等並督脉之別絡也其直行者自尻上循脊裏而至於鼻柱也自其少腹直上至兩目之下中央並任脉之行而云是督脉所繫由此言之則任脉衝脉督脉名異而同一體也

此生病從少腹上衝心而痛不得前後為衝疝

尋此生病正是任脉經云為衝疝者正明督脉以別主而異目也何者若一脉一氣而無陰陽之異主則此生病者當心背俱痛豈獨衝心而為疝乎

其女子不孕癃痔遺溺嗌乾

亦以衝脉任脉並自少腹上至於咽喉又以督脉循陰器合篡間繞篡後別繞臀故不孕癃痔遺溺嗌乾也所以謂之任脉者女子得之以任養也故經云此病其女子不孕也所

以謂之衝脉者以其氣上衝也故經云此生病從少腹上衝心而痛也所以謂之督脉者以其督領經脉之海也由此三用故一源三歧經或通呼似相謬引故下文曰

督脉生病治督脉治在骨上甚者在臍下營

此亦任脉之分也衝任督三脉異名同體亦明矣骨上謂腰横骨上毛際中曲骨穴也任脉足厥陰之會刺可入同身寸之一寸半若灸者可灸三壯臍下謂臍直下同身寸之一寸陰交穴任脉陰衝之會刺可入同身寸之八分若灸者可灸五壯

其上氣有音者治其喉中央在缺盆中者

中謂缺盆兩間之中天突穴在頸結喉下同身寸之四寸中央宛宛中陰維任脉之會低鍼取之刺可入同身寸之一寸留七呼若灸者可灸三壯

其病上衝喉者治其漸漸者上俠頤也

陽明之脉漸上頤而環脣故以俠頤名爲漸也是謂大迎大迎在曲頷前骨同身寸之一寸三分陷中動脉足陽明脉氣所發刺可入同身寸之三分留七呼若灸者可灸三壯

蹇膝伸不屈治其楗

蹇膝謂膝痛屈伸蹇難也楗謂髀輔骨上横骨下股外之中側立搖動取之筋動應手【楗】音健

坐而膝痛治其機

髖骨兩傍相接處

立而暑解治其骸關

暑熱也若膝痛立而膝骨解中熱者治其骸關骸關謂膝解也一經云起而引解言膝痛起立痛引膝骨解之中也暑引二字其義則異起立二字其意頗同

膝痛及拇指治其膕

膕謂膝解之後曲脚之中委中穴背面取之脉動應手足太陽脉之所入刺可入同身寸之五分留七呼若灸者可灸三壯

坐而膝痛如物隱者治其關

關在膕上當楗之後背立按之以動搖筋應手

膝痛不可屈伸治其背内

謂大杼穴也所在灸刺分壯與氣穴同法

連胻若折治陽明中俞髎

若膝痛不可屈伸連胻痛如折者則鍼陽明脉中俞髎也是則正取三里穴也

若別治巨陽少陰榮

絡

若痛而膝如别離者則治足太陽少陰之滎也足太陽滎通谷也在足小指外側本節前陷者中刺可入同身寸之二分留五呼若灸者可灸三壯足少陰滎然谷也在足内踝前起大骨下陷者中刺可入同身寸之三分留三呼若灸者可灸三壯

淫濼脛痠不能久立治少陽之維新校正云按甲乙經外踝上五寸乃足少陽之絡此云維者字之誤也

在外上五寸淫濼謂似酸痛而無力也五寸一云四寸中誥圖經外踝上四寸無穴五寸是光明穴也足少陽之絡刺可入同身寸之七分留十呼若灸者可灸五壯○新校正云按甲乙經云刺入六分留七呼

輔骨上橫骨下爲楗俠髖爲機膝解爲骸關俠

膝之骨爲連骸骸下爲輔輔上爲膕膕上爲關頭横骨爲枕

由是則謂膝輔骨上腰髖骨下爲楗楗上爲機膝外爲骸關楗後爲關關下爲膕膕下爲輔骨輔骨上爲連骸連骸者是骸骨相連接處也頭上之横骨爲枕骨

水俞五十七穴者尻上五行行五伏菟上兩行行五左右各一行行五踝上各一行行六穴

所在刺灸分壯具水熱穴論中此皆是骨空故氣穴篇内與此重言爾

髓空在腦後五分在顱際鋭骨之下

是謂風府通腦中也

一在齗基下

當頤下骨陷中有穴容豆
中誥圖經名下頤齗音銀

一在項後中復骨下

謂瘖門穴也在項髮際宛宛中入系舌本督
脉陽維之會仰頭取之刺可入同身寸之四
分禁不
可灸

一在脊骨上空在風府上

上謂腦户穴也在枕骨上大羽後同身寸之
一寸五分宛宛中督脉足太陽之會此别腦
之户不可妄灸灸之不幸令人瘖刺可入同
身寸之三分留三呼○新校正云按甲乙經
大羽者强間之别名氣府
註云若灸者可灸五壯

脊骨下空在尻骨下空

不應主療經闕其名○新校正云按甲乙經
長强在脊骶端正在尻骨下王氏云不應主

療經顴其名得非誤乎

數髓空在面俠鼻謂顴髎等穴經不二指陳其處小小者爾

或骨空在口下當兩肩謂大迎穴也所在刺灸分壯與前俠頤同法

兩髆骨空在髆中之陽近肩髃穴經無名

臂骨空在臂陽去踝四寸兩骨空之間在支溝上同身寸之一寸是謂通間○新校正云按甲乙經支溝上一寸名三陽絡通間豈其別名歟

股骨上空在股陽出上膝四寸

在陰市中伏菟穴下在承𢹂也

骭骨空在輔骨之上端

謂犢鼻穴也在膝臏下骭骨上俠解大筋中足陽明脉氣所發刺可入同身寸六分灸者可灸三壯

股際骨空在毛中動下

經闕其名

尻骨空在髀骨之後相去四寸

是謂尻骨上八髎穴也

扁骨有滲理湊無髓孔易髓無空

扁骨謂尻間扁戾骨也其骨上有滲灌文理歸湊之無別髓孔也易亦也骨有空則髓有孔骨若無孔髓亦無孔也

灸寒熱之法先灸項大椎以年爲壯數

如患人之年數

次灸橛骨以年爲壯數

尾窮謂之橛骨

視背俞陷者灸之

背胛骨際有陷處也

舉臂肩上陷者灸之

肩髃穴也有肩端兩骨間手陽明蹻脈之會刺可入同身寸之六分留六呼若灸者可灸

三壯也

兩季脇之間灸之

京門穴腎募也在髂骨與腰中季脇本俠脊刺可入同身寸之三分留七呼若灸者可灸三壯

外踝上絶骨之端灸之

陽輔穴也在足外踝上輔骨前絶骨之端如前同身寸之三分所去丘墟七寸足少陽脉之所行也刺可入同身寸之五分留七呼若灸者可灸三壯○新校正云按甲乙經云在外踝上四寸

足小指次指間灸之

俠谿穴也在足小指次指岐骨間本節前陷者中足少陽脉之所流也刺可入同身寸之

三分留三呼若灸者可灸三壯○新校正云按甲乙經流當作留字

腨下陷脉灸之

承筋穴也在腨中央陷者中足太陽脉氣所發也禁不可刺可灸三壯○新校正云按刺腰痛篇註云腨中央如外陷者中

外踝後灸之

崑崙穴也在足外踝後跟骨上陷者中細脉動應手足太陽脉之所行也刺可入同身寸之五分留十呼若灸者可灸三壯

缺盆骨上切之堅動如筋者灸之

經闕其名當隨其所有而灸之

膺中陷骨間灸之

天突穴也所在灸刺分壯與前缺盆中者同法

掌束骨下灸之

陽池穴也在手表腕上陷者中手少陽脉之所過也刺可入同身寸之二分留六呼若灸者可灸三壯

臍下關元三寸灸之

正在臍下同身寸之三寸足三陰任脉之會刺可入同身寸之二寸留七呼若灸者灸七壯○新校正云按氣府註云刺可入一寸二分者非

毛際動脉灸之

以脉動應手爲處即氣街穴也

膝下三寸分間灸之

三里穴也在膝下同身寸之三寸胻骨外廉兩筋肉分間足陽明脉之所入也刺可入同身寸之一寸留七呼灸者可灸三壯

足陽明跗上動脉灸之

衝陽穴也在足跗上同身寸之五寸骨間動脉足陽明脉之所過也刺可入同身寸之三分留十呼若灸者可灸三壯○新校正云按甲乙經及全元起本足陽明下有灸之二字并跗上動脉是二穴今王氏去灸之二字則見二穴今於註中却存灸之二字以闕疑耳

巔上一灸之

百會穴也在頂中央旋毛中陷容指督脉足太陽脉之交會刺可入同身寸之三分若灸者灸五壯

犬所齧之處灸之三壯即以犬傷病法灸之

犬傷而發寒熱者即以犬傷法三壯灸之[illegible]古結反

凡當灸二十九處傷食灸之

傷食爲病亦發寒熱故灸○新校正云詳足陽明不別灸則有二十八處疑王氏去上文灸之二字者非

不已者必視其經之過於陽者數刺其俞而藥之

○水熱穴論篇第六十一

新校正云按全元起本在第八卷

黃帝問曰少陰何以主腎腎何以主水岐伯對曰腎者至陰也至陰者盛水也肺者太陰也少

陰者冬脉也故其本在腎其末在肺皆積水也

陰者謂寒也冬月至寒腎氣合應故云腎者至陰也水王於冬故云至陰者盛水也腎少陰脉從腎上貫肝鬲入肺中故云其本在腎其末在肺也腎氣上逆則水氣客於肺中故云皆積水也

帝曰腎何以能聚水而生病岐伯曰腎者胃之關也關閉不利故聚水而從其類也

關者所以司出入也腎主下焦膀胱為府主其分注關竅二陰故腎氣化則二陰通二陰閟則胃填滿故云腎者胃之關也關閉則水積水積則氣停氣停則水生水生積則氣溢氣水同類故云關閉不利聚水而從其類也靈樞經曰下焦溢為水此之謂也閟音祕

上下溢於皮膚故為胕腫胕腫者聚水而生病

也上謂肺下謂腎肺腎俱溢故聚水於腹中而生病也

帝曰：諸水皆生於腎乎？岐伯曰：腎者牝藏也，牝陰也，亦主陰位，故云牝藏。地氣上者屬於腎而生水液也，故曰至陰。勇而勞甚則腎汗出，腎汗出逢於風，內不得入於藏府，外不得越於皮膚，客於玄府，行於皮裏，傳於胕腫，本之於腎，名曰風水。勇而勞甚，謂力房也。勞勇汗出則玄府開，汗出逢風則玄府復閉，玄府閉已則餘汗未出，內伏皮膚，專化爲水，從風而水，故名風水。

所謂玄府者汗空也

汗液色玄從空而出以汗聚於裏故謂之玄府府聚也

帝曰水俞五十七處者是何主也岐伯曰腎俞五十七穴積陰之所聚也水所從出入也尻上五行行五者此腎俞

背部之俞凡有五行當其中者督脉氣所發次兩傍四行皆是太陽脉氣也

故水病下為胕腫大腹上為喘呼

水下居於腎則腹至足而胕腫上入於肺則喘息賁急而大呼也

不得卧者標本俱病

標本者肺為標腎為本如此者是肺腎俱水為病也

故肺爲喘呼腎爲水腫肺爲逆不得卧

肺爲喘呼氣逆不得卧者以其主呼吸故也腎爲水腫者以其主水故也

分爲相輸俱受者水氣之所留也

分其居處以名之則是氣相輸應本其俱受病氣則皆是水所留也〔留〕力救反

伏菟上各二行行五者此腎之街也

街謂道也腹部正俞凡有五行俠臍兩傍則腎藏足少陰脉及衝脉氣所發次兩傍則胃府足陽明脉氣所發此四行穴則伏菟之上也〔菟〕音兔

三陰之所交結於脚也踝上各一行行六者此腎脉之下行也名曰大衝

腎脉與衝脉並下行循足合而盛大故曰大衝

凡五十七穴者皆藏之陰絡水之所客也

經所謂五十七者然尻上五行行五則背脊當中行督脉氣所發者脊中懸樞命門腰俞長強當其處也次俠督脉兩傍足大陽脉氣所發者有大腸俞小腸俞膀胱俞中胎内俞白環俞當其處也又次外俠兩傍足大陽脉氣所發者有胃倉肓門志室胞肓秩邊當其處也伏菟上各二行行五者腹部正俞俠中行任脉兩傍衝脉足少陰之會者有中注四滿氣穴大赫横骨當其處也次俠衝脉足少陰兩傍足陽明脉氣所發者有外陵大巨水道歸來氣街當其處也踝上各一行行六者足内踝之上有足少陰陰蹻脉並循腨上行足少陰脉有大鍾復溜陰谷三穴陰蹻脉在照海交信築賓三穴陰蹻既足少陰脉之别亦可通而主之兼此數之猶少一穴脊中在第十一椎節下間俛而取之刺可入同身寸之五分不可灸令人僂懸樞在第十三椎節下間伏而取之刺可入同身寸之三分若灸

者可灸三壯命門在第十四推節下間伏而取之刺可入同身寸之五分若灸者可灸三
壯腰俞在第二十一推節下間刺可入同身寸之二分○新校正云按甲乙經及繆刺論
註并熱穴註俱云刺入二寸而刺熱註氣府註并此註作二分宜從二分之說○熱留七呼
若灸者可灸三壯長強在脊骶端督脈別絡少陰所結刺可入同身寸之二分留七呼若
灸者可灸三壯此五穴者並督脈氣所發也○新校正云詳王氏云少一穴按氣府論註
十六推節下有陽關一穴若通數陽關則不少矣○次俠督脈兩傍大腸俞在第十六推
下俠督脈兩傍去督脈各同身寸之一寸半刺可入同身寸之三分留六呼若灸者可灸
三壯小腸俞在第十八推下兩傍相去及刺灸分壯法如大腸俞膀胱俞在第十九推下
兩傍相去及刺灸分壯法如大腸俞中膂內俞在第二十推下兩傍相去及刺灸分壯法
如大腸俞俠脊膂胂起肉留十呼白環俞在第二十一推下兩傍相去如大腸俞伏而取

之刺可入同身寸之五分若灸者可灸三壯
○新校正云按甲乙經云刺可入八分不可
灸此五穴者並足太陽脉氣所發所謂腎俞
者則此也○又次外兩傍胃倉在第十二椎
下兩傍相去各同身寸之三寸刺可入同身
寸之五分若灸者可灸三壯肓門在第十三
椎下兩傍相去及刺灸分壯法如胃倉志室
在第十四椎下兩傍相去及刺灸分壯法如
胃倉正坐取之胞肓在第十九椎下兩傍相
去及刺灸分壯法如胃倉伏而取之秩邊在
第二十一椎下兩傍相去及刺灸分壯法如
胃倉伏而取之此五穴者並足太陽脉氣所
發也次伏菟上兩行中注在臍下同身寸之
五分兩傍相去任脉各同身寸之五分○新
校正云按甲乙經同氣府注云俠中行方一
寸文異而義同○四滿在中注下同身寸之
一寸氣穴在四滿下同身寸之一寸大赫在
氣穴下同身寸之一寸橫骨在大赫下同身
寸之一寸各橫相去同身寸之一寸並衝脉
足少陰之會刺可入同身寸之一寸若灸者

可灸五壯次外兩傍穴外陵在臍下同身寸之一寸○新校正云按氣府論註云外陵在天樞下一寸與此正同○兩傍去衝脉各一同身寸之一寸半大巨在外陵下同身寸之一寸水道在大巨下同身寸之三寸歸來在水道下同身寸之二寸氣街在歸來下○新校正云按氣府註刺熱註熱穴註云在腹臍下橫骨兩端鼠鼷上一寸刺禁註云在腹下俠臍兩傍相去四寸鼠僕上一寸動脉應手骨空註云在毛際兩傍鼠鼷上諸註不同今備錄之○鼠鼷上同身寸之一寸各橫相去同身寸之二寸此五穴者並足陽明脉氣所發水道刺可入同身寸之二寸半若灸者可灸五壯氣街刺可入同身寸之三分留七呼若灸者可灸三壯餘三穴並刺可入同身寸之八分若灸者並可五壯所謂腎之街者則此也踝上各一行行六者大鍾在足內踝後街中○新校正云按甲乙經云跟後衝中刺瘧註刺腰痛註作跟後街中動脉此云內踝後此註註非○足少陰絡別走大陽者刺可入同

身寸之二分留三呼若灸者可灸三壯復溜在内踝上同身寸之二寸陥者中足少陰脉之所行也刺可入同身寸之三分留三呼若灸者可灸五壯照海在内踝下刺可入同身寸之四分留六呼若灸者可灸三壯交信在内踝上同身寸之二寸少陰前大陰後筋骨間陰蹻之郄刺可入同身寸之四分留五呼若灸者可灸三壯築賓在内踝上腨分中陰維之郄刺可入同身寸之三分若灸者可灸五壯陰谷在膝下内輔骨之後大筋之下小筋之上按之應手屈膝而得之足少陰脉之所入也刺可入同身寸之四分若灸者可灸三壯所謂腎經之下行名曰大衝者則此也

帝曰春取絡脉分肉何也岐伯曰春者木始治肝氣始生肝氣急其風疾經脉常深其氣少不能深入故取絡脉分肉間帝曰夏取盛經分湊

何也岐伯曰夏者火始治心氣始長脉瘦氣弱陽氣留溢

新校正云按别本留一作流

熱熏分腠内至於經故取盛經分腠絶膚而病去者邪居淺也

絶謂絶破令病得出也

所謂盛經者陽脉也帝曰秋取經俞何也岐伯曰秋者金始治肺將收殺

三陰已成故漸將收殺

金將勝火陽氣在合

金王火衰故云金將勝火

陰氣初勝濕氣及體

以漸於雨濕霧露故云濕氣及體

陰氣未盛未能深入故取俞以寫陰邪取合以虛陽邪陽氣始衰故取於合

新校正云按皇甫士安云是謂始秋之治變

帝曰冬取井滎何也岐伯曰冬者水始治腎方閉陽氣衰少陰氣堅盛巨陽伏沉陽氣乃去

去謂下去

故取井以下陰逆取滎以實陽氣

新校正云按全元起本實作遺甲乙經千金方作通

故曰冬取井滎春不鼽衄新校正云按皇甫士安云是謂末冬之治變

此之謂也新校正云按此與四時刺逆從論及診要經終論義頗不同與九卷之義相通

帝曰夫子言治熱病五十九俞余論其意未能領別其處願聞其處因聞其意岐伯曰頭上五行行五者以越諸陽之熱逆也頭上五行者當中行謂上星顖會前頂百會後頂次兩傍謂五處承光通天絡却玉枕又次兩傍謂臨泣目窗正營承靈腦空也上星在顱上直鼻中央入髮際同身寸之一寸陷

者中容豆刺可入同身寸之三分顖會在上
星後同身寸之一寸陷者中刺可入同身寸
之四分前頂在顖會後同身寸之一寸五分
骨間陷者中刺如顖會法百會在前頂後同
身寸之一寸五分頂中央旋毛中陷容指督
脉足太陽脉之交會刺如上星法後頂在百
會後同身寸之一寸五分枕骨上刺如顖會
法然是五者皆督脉氣所發也上星留六呼
若灸者並可灸五壯次兩傍穴五處在上星
兩傍同身寸之一寸五分承光在五處後同
身寸之一寸通天在承光後同身寸之一寸
五分絡却在通天後同身寸之一寸五分玉
枕在絡却後同身寸之七分然是五者並足
太陽脉氣所發刺可入同身寸之三分五處
通天各留七呼絡却留五呼玉枕留三呼若
灸者可灸三壯○新校正云按甲乙經承光
不灸玉枕刺入二分又次兩傍臨泣在頭直
目上入髮際同身寸之五分足太陽少陽陽
維三脉之會目窻正營遞相去同身寸之一
寸承靈腦空遞相去同身寸之一寸五分然

是五者並足少陽陽維二脉之會腦空二穴刺可入同身寸之四分餘並可刺入同身寸之三分臨泣留七呼若灸者可灸五壯

大杼膺俞缺盆背俞此八者以寫胸中之熱也

大杼在項第一椎下兩傍相去各同身寸之一寸半陷者中督脉别絡手足太陽三脉氣之會刺可入同身寸之三分留七呼若灸者可灸五壯○新校正云按甲乙經并氣穴注作七壯刺瘧註刺熱註作五壯○膺俞者膺中之俞也正名中府在胷中行兩傍相去同身寸之六寸雲門下一寸乳上三肋間動脉應手陷者中仰而取之手足太陰脉之會刺可入同身寸之三分留五呼若灸者可灸五壯缺盆在肩上横骨陷者中手陽明脉氣所發刺可入同身寸之二分留七呼若灸者可灸三壯背俞即風門熱府俞也在第二椎下兩傍各同身寸之一寸五分督脉足太陽之會刺可入同身寸之五分留七呼若灸者可

灸五壯今中誥孔穴圖經雖不名之旣曰風門熱府即治熱之背俞也○新校正云按王氏註刺熱論云背俞未詳何處註此指名風門熱府註氣穴論以大杼爲背俞三註不同者蓋亦疑之者也

氣街三里巨虛上下廉此八者以寫胃中之熱也

氣街在腹臍下橫骨兩傍鼠鼷上同身寸之一寸動脉應手足陽明脉氣所發刺可入同身寸之三分留七呼若灸者可灸三壯○新校正云按氣街諸註不同具前水穴註中三里在膝下同身寸之三寸胻外廉兩筋肉分間足陽明脉之所入也刺可入同身寸之一寸留七呼若灸者可灸三壯巨虛上廉足陽明與太陽合在三里下同身寸之三寸足陽明脉氣所發刺可入同身寸之八分若灸者可灸三壯巨虛下廉足陽明與少陽合在上

膺下同身寸之三寸足陽明脉氣所發刺可入同身寸之三分若灸者可灸三壯也

雲門髃骨委中髓空此八者以寫四支之熱也雲門在巨骨下胷中行兩傍相去同身寸之六寸動脉應手足太陰脉氣所發也○新校正云按甲乙經同氣穴註作手太陰刺熱註亦作手太陰○舉臂取之刺可入同身寸之七分若灸者可灸五壯驗今中誥孔穴圖經無髃骨穴有肩髃穴在肩端兩骨間手陽明蹻脉之會刺可入同身寸之六分留六呼若灸者可灸三壯委中在足膝後屈處膕中央約文中動脉足太陽脉之所入也刺可入同身寸之五分留七呼若灸者可灸三壯按今中誥孔穴圖經云腰俞穴一名髓空在脊中第二十一椎節下主汗不出足清不仁督脉氣所發也刺可入同身寸之二寸留七呼若灸者可灸三壯○新校正云詳腰俞刺入二寸當作二分已具前水穴註中

五藏俞傍五此十者以寫五藏之熱也

俞傍五者謂魄户神堂魂門意舍志室五穴俠脊兩傍各相去同身寸之三寸並足太陽脉氣所發也魄户在第三椎下兩傍正坐取之刺可入同身寸之五分若灸者可灸五壯神堂在第五椎下兩傍刺可入同身寸之三分若灸者可灸五壯魂門在第九椎下兩傍正坐取之刺可入同身寸之五分若灸者可灸三壯意舍在第十一椎下兩傍正坐取之刺可入同身寸之五分若灸者可灸三壯志室在第十四椎下兩傍正坐取之刺可入同身寸之五分若灸者可灸三壯

凡此五十九穴者皆熱之左右也帝曰人傷於寒而傳爲熱何也歧伯曰夫寒盛則生熱也

寒氣外凝陽氣内欝腠理堅緻玄府閉封緻則氣不宣通封則濕氣内結中外相薄寒盛

熱生故人傷於寒轉而爲熱汗之而愈則外凝內鬱之理可知斯乃新病數日者也

緻 馳二反

新刊補註釋文黃帝內經素問卷之八

內經八　　主十九

醫家類
26
14

新刋補註釋文黄帝内經素問卷之九

○調經論篇第六十二

新校正云按全元起本在第一卷

黄帝問曰余聞刺法言有餘寫之不足補之何謂有餘何謂不足岐伯對曰有餘有五不足亦有五帝欲何問帝曰願盡聞之岐伯曰神有餘有不足氣有餘有不足血有餘有不足形有餘有不足志有餘有不足凡此十者其氣不等也

神屬心氣屬肺血屬肝形屬脾志屬腎以各有所宗故不等也

帝曰人有精氣津液四支九竅五藏十六部三

百六十五節乃生百病百病之生皆有虛實今夫子乃言有餘有五不足亦有五何以生之乎鍼經曰兩神相薄合而成形常先身生是謂精上焦開發宣五穀味熏膚充身澤毛若霧露之溉是謂氣腠理發泄汗出腠理是謂津津之滲於空竅留而不行者爲液也十六部者謂手足二九竅九五藏五合爲十六部也三百六十五節者非謂骨節是神氣出入之處也鍼經曰所謂節之交三百六十五會皆神氣出入遊行之所非骨節也言人身所有則多所舉則少病生之數何以論之

岐伯曰皆生於五藏也謂五神藏也

夫心藏神肺藏氣肝藏血脾藏肉腎藏志而此

成形言所以病皆生於五藏者何哉以內藏五神而成形也

志意通內連骨髓而成形五藏志意者通言五神之大凢也骨髓者通言表裏之成化也言五神通泰骨髓化成身形既立乃五藏互相爲有矣○新校正云按甲乙經無五藏二字

五藏之道皆出於經隧以行血氣血氣不和百病乃變化而生是故守經隧焉隧潛道也經脉伏行而不見故謂之經隧焉血氣者人之神邪侵之則血氣不正血氣不正故變化而百病乃生矣然經脉者所以決死生處百病調虛實故守經隧焉○新校正云按甲乙經經隧作經渠義各通隧音遂

帝曰神有餘不足何如歧伯曰神有餘則笑不休神不足則悲

心之藏也鍼經曰心藏脉脉舍神心氣虛則悲實則笑不休也悲一爲憂誤也○新校正云詳王註云悲一爲憂誤也按甲乙經及太素并全元起註本並作憂皇甫士安云心虛則悲悲則憂心實則笑笑則喜夫心之與肺脾之與心互相成也故喜發於心而成於肺思發於脾而成於心一過其節則二藏俱傷楊上善云心之憂在心變動也肺之憂在肺之志是則肺主秋憂爲正也心主於憂變而生憂也

血氣未并五藏安定邪客於形洒淅起於毫毛未入於經絡也故命曰神之微

并謂并合也未與邪合故曰未并也洒淅寒貌也始起於毫毛尚在於小絡神之微病故

命曰神之微也○新校正云按甲乙經洒淅作悽厥太素作洫泝楊上善云洫毛孔也水逆流曰泝謂邪氣入於腠理如水逆流於洫

帝曰補寫柰何岐伯曰神有餘則寫其小絡之血出血勿之深斥無中其大經神氣乃平

邪入小絡故可寫其小絡之脉出其血勿深推鍼鍼深則傷肉也以邪居小絡故不欲令鍼中大經也絡血既出神氣自平斥推也小絡孫絡也鍼經曰經脉爲裏支而橫者爲絡絡之別者爲孫絡平謂平調也○新校正云詳此註引鍼經曰與三部九候論註兩引之在彼云靈樞而此曰鍼經則王氏之意指靈樞爲鍼經也按今素問註中引鍼經者多靈樞之文但以靈樞今不全故未得盡知也

神不足者視其虛絡按而致之刺而利之無出

其血無泄其氣以通其經神氣乃平但通經脈令其和利抑按虛絡令其氣致以神不足故不欲出血及泄氣也○新校正云按甲乙經按作切利作和

帝曰刺微奈何覆前初起於毫毛未入於經絡者

岐伯曰按摩勿釋著鍼勿斥移氣於不足神氣乃得復按摩其病處手不釋散著鍼於病處亦不推之使其人神氣內朝於鍼移其人神氣令自充足則微病自去神氣乃得復常○新校正云按甲乙經及太素云移氣於足無不字楊上善云按摩使氣至於踵也

帝曰善氣有餘不足柰何岐伯曰氣有餘則喘欬上氣不足則息利少氣

肺之藏也肺藏氣息不利則喘鍼經曰肺氣虛則鼻息利少氣實則喘喝胷憑仰息也

血氣未并五藏安定皮膚微病命曰白氣微泄

肺合皮其色白故皮膚微病命曰白氣微泄

帝曰補寫柰何岐伯曰氣有餘則寫其經隧無傷其經無出其血無泄其氣不足則補其經隧無出其氣

氣謂榮氣也鍼寫若傷其經則血出而榮氣泄脫故不欲出血泄氣但寫其衛氣而已鍼補則又宜謹閉穴俞然其衛氣亦不欲泄之○新校正云按楊上善云經隧者手太陰之

別從手太陰走手陽明乃是手太陰向手陽明別之道欲道藏府陰陽故補寫皆從正經別走之絡寫其陰經別走之路不得傷其正經也

帝曰：刺微柰何？覆前白氣微泄者

岐伯曰：按摩勿釋，出鍼視之，曰我將深之，適人必革，精氣自伏，邪氣散亂，無所休息，氣泄腠理，眞氣乃相得。亦謂按摩其病處也革皮也我將深之適入必革者謂其深而淺刺之也如是脇從則人懷懼色故精氣潛伏也以其調適於皮精氣潛伏邪無所據故亂散而無所休息發泄於腠理也邪氣既泄真氣乃與皮腠相得矣○新校正云按楊上善云革皮也夫人聞樂至

則身心忻悅聞痛及體情必改異忻悅則百體俱縱改革則情志必拒拒則邪氣消伏

帝曰善血有餘不足柰何岐伯曰血有餘則怒不足則恐

肝之藏也鍼經曰肝藏血肝氣虛則恐實則怒○新校正云按全元起本恐作悲甲乙經及太素並同

血氣未并五藏安定孫絡外溢則經有留血

絡有邪盛則入於經故云孫絡外溢則經有留血

帝曰補寫柰何岐伯曰血有餘則寫其盛經出其血不足則視其虛經内鍼其脉中久留而視

新校正云按甲乙經云久留之血至太素同

脉太疾出其鍼無令血泄脉盛滿則血有餘故出之經氣虛則血不足故無令血泄也久留疾出是謂補之鍼解論曰徐而疾則實義與此同

帝曰刺留血奈何岐伯曰視其血絡刺出其血無令惡血得入於經以成其疾血絡滿者刺按出之則惡色之血不得入於經脉

帝曰善形有餘不足奈何岐伯曰形有餘則腹脹涇溲不利不足則四支不用脾之藏也鍼經曰脾氣虛則四支不用五藏不安實則腹脹涇溲不利涇大便溲小便也○新校正云按楊上善云涇作經婦人月經也

血氣未并五藏安定肌肉蠕動命曰微風

邪薄肉分衛氣不通陽氣內鼓故肉蠕動○新校正云按全元起本及甲乙經蠕作溢太素作濡

帝曰補寫柰何岐伯曰形有餘則寫其陽經不足則補其陽絡

並胃之經絡

帝曰刺微柰何岐伯曰取分肉間無中其經無傷其絡衛氣得復邪氣乃索

衛氣者所以溫分肉而充皮膚肥腠理而司開闔故肉蠕動即取分肉間但開肉分以出其邪故無中其經無傷其絡衛氣復舊而邪氣盡索散盡也

帝曰善志有餘不足柰何岐伯曰志有餘則腹脹飧泄不足則厥腎之藏也鍼經曰腎藏精精舍志腎氣虛則厥實則脹脹謂脹起厥謂逆行上衝也足少陰脉下行今氣不足故隨衝脉逆行而上衝也飧音孫

血氣未并五藏安定骨節有動腎合骨故骨有邪薄則骨節殷動或骨節之中如有物鼓動之也

帝曰補寫柰何岐伯曰志有餘則寫然筋血者新校正云按甲乙經及太素云寫然筋血者出其血楊上善云然筋當是然谷下筋再詳諸處引然谷者多云然骨之前血者疑少骨之二字前字誤作筋字

不足則補其復溜

然謂然谷足少陰滎也在内踝之前大骨之
下陷者中血絡盛則泄之其刺可入同身寸
之三分留三呼若灸者可灸三壯復留足少
陰經也在内踝上同身寸之三寸陷者中刺
可入同身寸之三分留
三呼若灸者可灸五壯

帝曰刺未并奈何歧伯曰即取之無中其經邪所乃能立虚

不求穴俞而直取居邪之處故云即取之
○新校正云按甲乙經邪所作以去其邪

帝曰善余已聞虚實之形不知其何以生歧伯曰氣血以并陰陽相傾氣亂於衛血逆於經血氣離居一實一虚

衛行脉外故氣亂於衛血行經内故
血逆於經血氣不和故一虚一實

血并於陰氣并於陽故爲驚狂

氣并於陽則陽氣外盛故爲驚狂

血并於陽氣并於陰乃爲炅中

氣并於陰則陽氣内盛故爲熱中炅熱也

血并於上氣并於下心煩悗善怒血并於下氣并於上亂而喜忘

上謂鬲上下謂鬲下

帝曰血并於陰氣并於陽如是血氣離居何者爲實何者爲虛岐伯曰血氣者喜溫而惡寒寒則泣不能流溫則消而去之

泣謂如雪在水中凝住而不行去也

是故氣之所并爲血虛血之所并爲氣虛

氣并於血則血少故血虛血并於氣則氣少故氣虛

帝曰人之所有者血與氣耳今夫子乃言血并爲虛氣并爲虛是無實乎岐伯曰有者爲實無者爲虛

氣并於血則血無血并於氣則氣無

故氣并則無血血并則無氣今血與氣相失故爲虛焉

氣并於血則血失其氣血并於氣則氣失其血故曰血與氣相失

絡之與孫脉俱輸於經血與氣并則爲實焉血之與氣并走於上則爲大厥厥則暴死氣復反則生不反則死帝曰實者何道從來虛者何道從去虛實之要願聞其故岐伯曰夫陰與陽皆有俞會陽注於陰陰滿之外陰陽勻平以充其形九候若一命曰平人平人謂平和之人

夫邪之生也或生於陰或生於陽其生於陽者得之風雨寒暑其生於陰者得之飲食居處陰陽喜怒帝曰風雨之傷人柰何岐伯曰風雨之

傷人也先客於皮膚傳入於孫脉孫脉滿則傳入於絡脉絡脉滿則輸於大經脉血氣與邪并客於分腠之間其脉堅大故曰實實者外堅充滿不可按之按之則痛帝曰寒濕之傷人柰何岐伯曰寒濕之中人也皮膚不收新校正云按全元起云不收不仁也甲乙經及太素云皮膚收無不字肌肉堅緊榮血泣衛氣去故曰虛虛者聶辟氣不足按之則氣足以溫之故快然而不痛聶謂聶皺辟謂辟疊也○新校正云按甲乙經作攝辟大素作懾辟帝曰善陰之生實柰何

動藏

内經六　六

實謂邪氣盛也

岐伯曰喜怒不節則陰氣上逆上逆則下虛下虛則陽氣走之故曰實矣

新校正云按經云喜怒不節則陰氣上逆疑剩喜字

帝曰陰之生虛奈何

虛謂精氣奪也

岐伯曰喜則氣下悲則氣消消則脉虛空因寒飲食寒氣熏滿

新校正云按甲乙經作動藏

則血泣氣去故曰虛矣帝曰經言陽虛則外寒

陰虛則內熱陽盛則外熱陰盛則內寒余已聞之矣不知其所由然也經言謂上古經言也

岐伯曰陽受氣於上焦以溫皮膚分肉之間今寒氣在外則上焦不通上焦不通則寒氣獨留於外故寒慄慄謂振慄也

帝曰陰虛生內熱柰何岐伯曰有所勞倦形氣衰少穀氣不盛上焦不行下脘不通新校正云按甲乙經作下焦不通

胃氣熱熱氣熏胸中故内熱甚用其力致勞倦也貪役不息故穀氣不盛也

帝曰陽盛生外熱柰何岐伯曰上焦不通利則皮膚緻密腠理閉塞玄府不通新校正云按甲乙經及太素無玄府二字衛氣不得泄越故外熱外傷寒毒内薄諸陽寒外盛則皮膚收皮膚收則腠理密故衛氣稸聚無所流行矣寒氣外薄陽氣内爭積火内燔故生外熱也燔音煩

帝曰陰盛生内寒柰何岐伯曰厥氣上逆寒氣積於胸中而不寫不寫則温氣去寒獨留則血

凝泣凝則脉不通

新校正云按甲乙經作腠理不通

其脉盛大以濇故中寒

温氣謂陽氣也陰逆內滿則陽氣去於皮外也

帝曰陰與陽并血氣以并病形以成刺之柰何

岐伯曰刺此者取之經隧取血於營取氣於衛

用形哉因四時多少高下

營主血陰氣也衛主氣陽氣也夫行鍼之道必先知形之長短骨之廣狹循三備法通計身形以施分寸故曰用形也四時多少高下具在下篇

帝曰血氣以并病形以成陰陽相傾補寫柰何

岐伯曰寫實者氣盛乃内鍼鍼與氣俱内以開其門如利其户鍼與氣俱出精氣不傷邪氣乃下外門不閉以出其疾揺大其道如利其路是謂大寫必切而出大氣乃屈

言欲開其穴而泄其氣也切謂急也言急出其鍼也鍼解論曰疾而徐則虚者疾出鍼而徐按之也大氣謂大邪氣也屈謂退屈也

帝曰補虚柰何岐伯曰持鍼勿置以定其意候呼内鍼氣出鍼入鍼空四塞精無從去方實而疾出鍼氣入鍼出熱不得還閉塞其門邪氣布散精氣乃得存動氣候時

新校正云：按甲乙經作動無後時。

近氣不失遠氣乃來是謂追之

言但密閉穴俞，勿令其氣散泄也。近氣謂已至之氣，遠氣謂未至之氣也。欲動經氣而爲補，補者皆必候水刻氣之所在而刺之，是謂得時而調之。追言補也。鍼經曰：追而濟之，安得無實，則此謂也。

帝曰：夫子言虛實者有十，生於五藏，五藏五脉耳。夫十二經脉皆生其病，

新校正云：按甲乙經云皆生百病，太素同。

令夫子獨言五藏，夫十二經脉者，皆絡三百六十五節，節有病必被經脉，經脉之病皆有虛實，

何以合之岐伯曰五藏者故得六府與為表裏經絡支節各生虛實其病所居隨而調之

從其左右經氣支節而調之

病在脉調之血

脉者血之府脉實血實脉虛血虛由此脉病而調之血也○新校正云按全元起本及甲乙經云病在血調之脉

病在血調之絡

血病則絡脉易故調之於絡也

病在氣調之衛

衛主氣故氣病而調之衛也

病在肉調之分肉候寒熱而取之

病在筋調之筋適緩急而刺熨之

病在骨調之骨察輕重而調之

燔鍼刼刺其下及與急者調筋法也筋急則焠鍼而刼刺之

病在骨焠鍼藥熨調骨法也焠鍼火鍼也

病不知所痛兩蹻爲上

兩蹻謂陰陽蹻脉陰蹻之脉出於照海陽蹻之脉出於申脉申脉在足外踝下陷者中容爪甲○新校正云按刺腰痛注云在踝下五分刺可入同身寸之三分留六呼若灸者可灸三壯照海在足內踝下刺可入同身寸之四分留六呼若灸者可灸三壯

身形有痛九候莫病則繆刺之

莫病謂無病也繆刺者刺絡脉左痛刺右右痛刺左

痛在於左而右脉病者巨刺之

巨刺者刺經脉左痛刺右右痛刺左

必謹察其九候鍼道備矣

○繆刺論篇第六十三

新校正云按全元起本在第二卷

黃帝問曰余聞繆刺未得其意何謂繆刺

繆刺言所刺之穴應用如紕繆綱紀也

岐伯對曰夫邪之客於形也必先舍於皮毛留而不去入舍於孫脉留而不去入舍於絡脉留而不去入舍於經脉內連五藏散於腸胃陰陽俱感五藏乃傷此邪之從皮毛而入極於五藏之次也如此則治其經焉今邪客於皮毛入舍於孫絡留而不去閉塞不通不得入於經流溢於大絡而生奇病也

病在血絡是謂奇邪○新校正云按全元起云大絡十五絡也

夫邪客大絡者左注右右注左上下左右與經相干而布於四末其氣無常處不入於經俞命曰繆刺

四末謂四支也

帝曰願聞繆刺以左取右以右取左柰何其與巨刺何以別之歧伯曰邪客於經左盛則右病右盛則左病亦有移易者

新校正云按甲乙經作病易且移

左痛未已而右脉先病如此者必巨刺之必中

其經非絡脉也先病者謂彼痛未止而此先病以承之

故絡病者其痛與經脉繆處故命曰繆刺絡謂正經之傍支非正別也亦兼公孫飛揚等之別絡也○新校正云按王氏云非正別也按本論邪客足太陰絡令人腰痛注引從髀合陽明上絡嗌貫舌中乃太陰之正也亦是兼脉之正安得謂之作正別也

帝曰願聞繆刺柰何取之何如岐伯曰邪客於足少陰之絡令人卒心痛暴脹胷脇支滿以其絡支別者並正經從腎上貫肝鬲走於心包故邪客之則病如是無積者刺然骨之前出血如食頃而已

然骨之前然谷穴也在足内踝前起大骨下陷者中足少陰滎也刺可入同身寸之三分留三呼若灸者可灸三壯刺此多見血令人立飢欲食

不已左取右右取左

言痛在左取之右痛在右取之左餘如此例

病新發者取五日已

素有此病而新發先刺之五日乃盡已

邪客於手少陽之絡令人喉痺舌卷口乾心煩

臂外廉痛手不及頭

以其脉循手表出臂外上肩入缺盆布膻中散絡心包其支者從膻中上出缺盆上項又

舌

心主其舌故病如是

小

刺手中指次指爪甲上去端如韭葉各一痏謂關衝穴少陽之井也刺可入同身寸之一分留三呼若灸者可灸三壯左右手皆刺之故言各一痏痏瘡也○新校正云按甲乙經關衝穴出手小指次指之端今言中指者誤也

壯者立已老者有頃已左取右右取左此新病數日已邪客於足厥陰之絡令人卒疝暴痛以其絡去內踝上同身寸之五寸別走少陽其支別者循脛上睪結於莖故令人卒疝暴痛睪陰丸也

刺足大指爪甲上與肉交者各一痏謂大敦穴足大指之端去爪甲角如韭葉厥陰之井也刺可入同身寸之三分留十呼若

灸者可灸三壯

男子立已女子有頃已左取右右取左邪客於足太陽之絡令人頭項肩痛以其經之正者從腦出別下項支別者從膊內左右別下又其絡自足上行循背上頭故頭項肩痛也○新校正云按甲乙經云其支者從巔入絡腦還出別下項王氏云經之正者正當作支

刺足小指爪甲上與肉交者各一痏立已謂至陰穴太陽之井也刺可入同身寸之一分留五呼若灸者可灸三壯○新校正云按甲乙經云在足小指外側去爪甲角如韭葉

不已刺外踝下三痏左取右右取左如食頃已

謂金門穴足太陽郄也在外踝下刺可入同身寸之三分若灸者可灸三壯

邪客於手陽明之絡令人氣滿胸中喘息而支胠胸中熱

以其經自肩端入缺盆絡肺其支別者從缺盆中直而上頸故病如是

刺手大指次指爪甲上去端如韭葉各一痏左取右右取左如食頃已

謂商陽穴手陽明之井也刺可入同身寸之一分留一呼若灸者可灸一壯○新校正云按甲乙經云商陽在手大指次指內側去爪甲角如韭葉

邪客於臂掌之間不可得屈刺其踝後

新校正云按全元起本云是人手之本節踝也

先以指按之痛乃刺之以月死生爲數月生一日一痏二日二痏十五日十五痏十六日十四痏

隨日數也月半已前謂之生月半以後謂之死虧滿而異也

邪客於足陽蹻之脉令人目痛從内眥始

以其脉起於足上行至頭而屬目内眥故病令人目痛從内眥始也何以明之八十一難經曰陽蹻脉者起於跟中循外踝上行入風池鍼經曰陽蹻陰蹻脉入鼽屬目内眥合於太陽陽蹻而上行尋此則至於目内眥也

刺外踝之下半寸所各二痏

謂申脉穴陽蹻之所生也在外踝下陷者中容爪甲刺可入同身寸之三分留六呼若灸

絡

者可灸三壯○新校正云按刺腰痛註云外踝下五分

左刺右右刺左如行十里頃而已人有所墮墜惡血留內腹中滿脹不得前後先飲利藥此上傷厥陰之脉下傷少陰之絡刺足內踝之下然骨之前血脉出血

此少陰之絡也○新校正云詳血脉出血脉字疑是絡字

刺足跗上動脉

謂衝陽穴胃之原也刺可入同身寸之三分留十呼若灸者可灸三壯主腹大不嗜食以腹脹滿故取之

不已刺三毛上各一痏見血立已左刺右右刺

左

謂大敦穴厥陰之井也

善悲驚不樂刺如右方

善悲驚不樂亦如上法刺之

邪客於手陽明之絡令人耳聾時不聞音

以其經支者從缺盆上頸貫頰又其絡支別者入耳會於宗脉故病令人耳聾時不聞聲

刺手大指次指爪甲上去端如韭葉各一痏立

聞

亦同前商陽穴

不已刺中指爪甲上與肉交者立聞

謂中衝穴手心主之井也在手中指之端去爪甲如韭葉陷者中刺可入同身寸之一分留三呼若灸者可灸三壯古經脱簡無絡可尋恐是刺小指爪甲上與肉交者也何以言之下文云手少陰絡會於耳中也若不指之端是謂少衝手少陰之井刺可入同身寸之一分留一呼若灸者可灸一壯○新校正云按王氏云恐是小指爪甲上少衝穴按甲乙經手心主之正上循喉嚨出耳後合少陽完骨之下如是則安得不刺中衝而疑爲少衝也

其不時聞者不可刺也不時聞者絡氣已絕故不可刺

耳中生風者亦刺之如此數左刺右右刺左凡痺往來行無常處者在分肉間痛而刺之以月

絡

內經九　十九

死生爲數用鍼者隨氣盛衰以爲痏數鍼過其日數則脫氣不及日數則氣不寫左刺右右刺左病已止不已復刺之如法言所以約月死生爲數者何以隨氣之盛衰也月生一日一痏二日二痏漸多之十五日十五痏十六日十四痏漸少之如是刺之則無過數無不及也

邪客於足陽明之經令人鼽衄上齒寒以其脈起於鼻交頞中下循鼻外入上齒中還出俠口環脣下交承漿卻循頤後下廉出大迎循頰車上耳前故病令人鼽衄上齒寒也復以其脈左右交於面部故舉經脈之病

大

以明繆處之類故下文云○新校正云按全元起本與甲乙經陽明之經作陽明之絡

刺足中指次指爪甲上與肉交者各一痏左刺右右刺左

中當爲大亦傳寫中大之誤也據靈樞經孔穴圖經中指次指爪甲上無穴當言刺大指次指爪甲上乃厲兊穴陽明之井不當更有次指二字也厲兊者刺可入同身寸之一分留一呼若灸者可灸一壯○新校正云按甲乙經云刺足中指爪甲上無次指二字蓋以大指次指爲中指義與王註同下文云足陽明中指爪甲上亦謂此穴也厲兊在足大指次指之端去爪甲角如韭葉

邪客於足少陽之絡令人脇痛不得息欬而汗出

以其脉支别者從呂兊眥下大迎合手少陽於頰下加頰車下頸合缺盆以下胷中貫鬲絡肝膽循脇故令人脇痛欬而汗出

刺足小指次指爪甲上與肉交者各一痏

謂竅陰穴少陽之井也刺可入同身寸之一分留一呼若灸者可灸三壯○新校正云按甲乙經竅陰在足小指次指之端去爪甲角如韭葉

不得息立已汗出立止欬者溫衣飲食一日已左刺右右刺左病立已不已復刺如法邪客於足少陰之絡令人嗌痛不可內食無故善怒氣上走賁上

以其經支别者從肺出絡心注胷中又其正經從腎上貫肝鬲入肺中循喉嚨俠舌本故

病令人嗌乾痛不可内食無故善怒氣上走賁上也賁謂氣奔也○新校正云詳王註以賁上爲氣奔者非按難經胃爲賁門楊玄操云賁鬲也是氣上走鬲上也經既云氣上走賁安得更以賁爲奔上之解

刺足下中央之脉各三痏凡六刺立已左刺右右刺左

謂湧泉穴少陰之井也在足心陷者中屈足踡指宛宛中刺可入同身寸之三分留三呼若灸者可灸三壯

嗌中腫不能内唾時不能出唾者刺然骨之前出血立已左刺右右刺左

亦足少陰之絡也以其絡並大經循喉嚨故爾刺之此二十九字本錯簡在繆刺論客手足少陰

大陰足陽明之絡前今遷於此○新挍正云詳王註以其絡並大經循喉嚨差互挍甲乙經足少陰之絡並經上走心包少陰之經循喉嚨今王氏之註經與絡交互當以甲乙經爲正也

邪客於足太陰之絡令人腰痛引少腹控䏚不可以仰息

足太陰之絡從髀合陽明上貫尻骨中與厥陰少陽結於下髎而循尻骨內入腹上絡嗌貫舌中故腰痛則引少腹控於䏚中也䏚謂季脇下之空軟處也受邪氣則絡拘急故不可以仰伸而喘息也剌腰痛篇中無息字新挍正云詳王註云足太陰之絡按甲乙經○乃太陰之正非絡也王氏謂之絡者未詳其旨

剌腰尻之解兩胂之上是腰俞以月死生爲痏

數發鍼立已左刺右右刺左

腰尻骨間曰解當中有腰俞刺可入同身寸
之二寸○新校正云按氣府論註作二分刺
熱論註作二分水穴篇註作二分熱穴篇註
作二寸甲乙經作二寸留七呼註與經同中
誥孔穴經云左取右右取左穴當中不應爾
也灸腰下俠尻有骨空各四皆主腰痛下髎
莊與經同是足太陰厥陰少陽所結刺可入
同身寸之二寸留十呼若灸者可灸三壯胂
謂兩髁胂也腰俞髁胂皆當取之也○新校
正云按此邪客足太陰之絡并刺法一項已
見刺腰痛篇中彼註甚詳此特多是腰俞三
字耳别按全元起本舊無此三字王氏頗知
腰俞無左右取之理而註
之而不知全元起本舊無

邪客於足太陽之絡令人拘攣背急引脇而痛

以其經從髆内左右别下貫胛合膕中故病
令人拘攣背急引脇而痛○新校正云按全

元起本及甲乙經引脇而痛下更云内引心而痛

刺之從項始數脊椎俠脊疾按之應手如痛刺之傍三痏立已

從項始數脊椎者謂從大椎數之至第二椎兩傍各同身寸之一寸五分内循脊兩傍按之有痛應手則邪客之處也隨痛應手深淺即而刺之邪客在脊骨兩傍故言刺之傍也

邪客於足少陽之絡令人留於樞中痛髀不可舉

以其經出氣街繞髦際橫入髀厭中故痛令人留於髀樞後痛解不可舉也樞謂髀樞也

刺樞中以毫鍼寒則久留鍼以月死生爲數立已

髀樞之後則環跳穴也正在髀樞後故言刺髀樞後也環跳者足少陽脉氣所發刺可入同身寸之一寸留二呼若灸者可灸三壯毫鍼者第七鍼也○新校正云按甲乙經環跳在髀樞中氣穴論云在兩髀厭分中此經云刺樞中而王氏以謂髀樞之後者誤也

治諸經刺之所過者不病則繆刺之

正言也經不病則邪在絡故繆刺之若經所過有病是則經病不當繆刺矣

耳聾刺手陽明不已刺其通脉出耳前者

手陽明謂前手大指次指去端如韭葉者也是謂商陽據中誥孔穴圖經手陽明脉中商陽合谷陽谿偏歷四穴並主耳聾今經所指謂前商陽不謂此合谷等穴也耳前通脉手陽明脉正當聽會之分刺可入同身寸之四分若灸者可灸三壯

齒齲刺手陽明不已刺其脉入齒中者立已

據甲乙經流註圖經手陽明脉中商陽二間三間合谷陽谿偏歷温留七穴並主齒痛手陽明脉貫頰入下齒中足陽明脉循鼻外入上齒中也齲丘禹反

邪客於五藏之間其病也脉引而痛時來時止視其病繆刺之於手足爪甲上各刺其井左取右右取左視其脉出其血間日一刺一刺不已五刺已有血脉者則刺之如此數繆傳引上齒齒脣寒痛視其手背脉血者去之若病繆傳而引上齒齒脣寒痛者刺手背陽明絡也足陽明中指爪甲上一痏手大指次指爪甲上

各一痏立已左取右右取左

謂第二指厲兌穴也手大指次指謂商陽穴手陽明井也鍼經曰齒痛不惡清飲取足陽明惡清飲取手陽明○新校正云詳前文求容足陽明刺中指次指爪甲上是誤剩次指二字當如此只言中指爪甲上乃是

邪客於手足少陰太陰足陽明之絡此五絡皆會於耳中上絡左角

手少陰眞心脉足少陰腎脉手太陰肺脉足太陰脾脉足陽明胃脉此五絡皆會於耳中而出絡左額角也

五絡俱竭令人身脉皆動而形無知也其狀若尸或曰尸厥

言其卒冒悶而如死尸身脉猶如常人而動也然陰氣盛於上則下氣重上而邪氣逆邪氣逆則陽氣亂陽氣亂則五絡閉結而不通故其狀若尸也以是從厥而生故或曰尸厥

刺其足大指內側爪甲上去端如韭葉

謂隱白穴足太陰之井也刺可入同身寸之一分留三呼若灸者可灸三壯

後刺足心

謂涌泉穴足少陰之井也刺同前取涌泉穴法

後刺足中指爪甲上各一痏

謂第二指足陽明之井也刺同前取厲兌穴法

後刺手大指內側去端如韭葉

謂少商穴手太陰之井也刺可入同身寸之一分留三呼若灸者可灸三壯

後刺手心主

謂中衝穴手心主之井也刺可入同身寸之一分留三呼若灸者可灸一壯○新校正云按甲乙經不刺手心主詳此五絡之數亦不及手心主而此刺之是有六絡未會王冰相隨註之不為明辨之旨也

少陰銳骨之端各一痏立已

謂神門穴在掌後銳骨之端陷者中手少陰之俞也刺可入同身寸之三分留七呼若灸者可灸三壯

不已以竹管吹其兩耳

言使氣入耳中內助五絡令氣復通也當內管入耳以手密擫之勿令氣泄而極吹之氣蹙然後絡脉通也○新校正云按陶隱居云吹其左耳極三度復吹其右耳三度也

鬄其左角之髮方一寸燔治飲以美酒一桮不能飲者灌之立已

左角之髮是五絡血之餘故鬄之燔治飲之以美酒也酒者所以行藥勢又炎上而內走於心心主脈故以美酒服之鬄音易

凡刺之數先視其經脈切而從之審其虛實而調之不調者經刺之有痛而經不病者繆刺之因視其皮部有血絡者盡取之此繆刺之數也

○四時刺逆從論篇第六十四

新校正云按厥陰有餘至筋急目痛全元起本在第六卷春氣在經脈至篇末全元起本在第一卷

厥陰有餘病陰痺

痺謂痛也陰謂寒也有餘謂厥陰氣盛滿故陰發於外而爲寒痺○新校正云詳王氏以痺爲痛未通

不足病生熱痺

陰不足則陽有餘故爲熱痺

滑則病狐疝風濇則病少腹積氣

厥陰脉循股陰入髦中環陰器抵少腹又其絡支別者循脛上睪結於莖故爲狐疝少腹積氣也○新校正云按楊上善云狐夜不得尿日出方得人之所病與狐同故曰狐疝一曰孤疝謂三焦孤府爲疝故曰孤疝

少陰有餘病皮痺隱軫不足病肺痺

腎脉道連於肺毋故也足少陰脉從腎上貫肝鬲入肺中故有餘病皮痺隱軫不足病肺痺也

滑則病肺風疝濇則病積溲血

以其正經入肺貫腎絡膀胱故爲肺疝及積溲血也

太陰有餘病肉痺寒中不足病脾痺

脾主肉故如是

滑則病脾風疝濇則病積心腹時滿

太陰之脉入腹屬脾絡胃其支別者復從胃別上鬲注心中故爲脾疝心腹時滿也

陽明有餘病脉痺身時熱不足病心痺

胃有餘則上歸於心不足則心下痺故爲是

滑則病心風疝濇則病積時善驚

心主之脉起於胷中出屬心包下鬲歷絡三焦故爲心疝時善驚

太陽有餘病骨痺身重不足病腎痺

太陽與少陰爲表裏故有餘不足皆病歸於腎也

滑則病腎風疝濇則病積善時巔疾

太陽之脉交於巔上入絡腦下循膂絡腎故爲腎風及巔病也

少陽有餘病筋痺脇滿不足病肝痺

少陽與厥陰爲表裏故病歸於肝

滑則病肝風疝濇則病積時筋急目痛

肝主筋故時筋急厥陰之脉上出額與督脉會於巔其支别者從目系下頰裏故目痛

是故春氣在經脉夏氣在孫絡長夏氣在肌肉秋氣在皮膚冬氣在骨髓中帝曰余願聞其故岐伯曰春者天氣始開地氣始泄凍解冰釋水行經通故人氣在脉夏者經滿氣溢入孫絡受血皮膚充實長夏者經絡皆盛内溢肌中秋者天氣始收腠理閉塞皮膚引急引謂牽引以縮急也冬者蓋藏血氣在中内著骨髓通於五藏是故邪氣者常隨四時之氣血而入客也至其變化不可為度然必從其經氣辟除其邪除其邪則

亂氣不生

得氣而調故不亂

帝曰逆四時而生亂氣柰何岐伯曰春刺絡脉

血氣外溢令人少氣

血氣溢於外則中不足故少氣○新校正云按自春刺絡脉至令人目不明與診要經終論義同文異彼注甚詳於此彼分四時此分五時然此有長夏刺肌肉之分而逐時各闕

刺秋分之事疑此肌肉之分即彼秋皮膚之分也

春刺肌肉血氣環逆令人上氣

血逆氣上故上氣○新校正云按經闕春刺秋分

春刺筋骨血氣内著令人腹脹

內著不散故脹

夏刺經脉血氣乃竭令人解㑊

血氣竭少故解㑊然不可名之也解㑊謂寒不寒熱不熱壯不壯弱不弱故不可名之也

夏刺肌肉血氣內却令人善恐

却閉也血氣內閉則陽氣不通故善恐

夏刺筋骨血氣上逆令人善怒

血氣上逆則怒氣相應故善怒 ○新校正云按經闕夏刺秋分

秋刺經脉血氣上逆令人善忘

血氣上逆滿於肺中故善忘

秋刺絡脉氣不外行

新校正云按別本作血氣不行全元起本作氣不衛外太素同

令人臥不欲動

以虚甚故○新校正云按經闕秋刺長夏分

秋刺筋骨血氣内散令人寒慄

血氣内散則中氣虚故寒慄

冬刺經脉血氣皆脫令人目不明

以血氣無所營故也

冬刺絡脉内氣外泄留爲大痺冬刺肌肉陽氣竭絶令人善忘

陽氣不壯至春而竭故善忘新校正云按經闕冬刺秋分

凡此四時刺者大逆之病新校正云按全元起本作六經之病不可不從也反之則生亂氣相淫病焉淫不次也不次而行如浸淫相染而生病也故刺不知四時之經病之所生以從為逆正氣内亂與精相薄必審九候正氣不亂精氣不轉不轉謂不逆轉也

帝曰善刺五藏中心一日死其動為噫診要經終論曰中心者環死刺禁論曰一日死其動為噫中肝五日死其動為語

診要經終論闕而不論刺禁論曰中肝五日死其動為語○新校正云按甲乙經語作欠

中肺三日死其動為欬

診要經終論曰中肺五日死刺禁論曰中肺三日死其動為欬

中腎六日死

新校正云按甲乙經作三日死

其動為嚔欠

診要經終論曰中腎七日死刺禁論曰中腎六日死其動為嚔○新校正云按甲乙經無欠字

中脾十日死

新校正云按甲乙經作十五日

其動爲否

診要經終論曰中脾五日死刺禁論曰中脾十日死其動爲否然此三論皆歧伯之言而死日動變不同傳之誤也

刺傷人五藏必死其動則依其藏之所變候知其死也

變謂氣動變也中心下至此並爲逆從重文也

○標本病傳論篇第六十五

新校正云按全元起本在第二卷皮部論篇前

黄帝問曰病有標本刺有逆從奈何歧伯對曰凡刺之方必别陰陽前後相應逆從得施標本

相移故曰有其在標而求之於標有其在本而求之於本有其在本而求之於標有其在標而求之於本故治有取標而得者有取本而得者有逆取而得者有從取而得者

得病之情知治大體則逆從皆可施必中焉

故知逆與從正行無問知標本者萬舉萬當

道不疑惑識既深明則無問於人正行皆當

不知標本是謂妄行

識猶褊淺道未高深舉且見違故行多妄

夫陰陽逆從標本之為道也小而大言一而知

百病之害

著之至也言别陰陽知逆順法明著見精微觀其所舉則小尋其所利則大以斯明著故

言一而知百病之害

少而多淺而博可以言一而知百也

言少可以貫多舉淺可以料大者何法之明故非聖人之道孰能至於是耶故學之者猶可以言一而知百病也博大也

以淺而知深察近而知遠言標與本易而勿及

雖事極深玄人非咫尺畧以淺近而悉貫之然標本之道雖易可爲言而世人識見無能及者

治反爲逆治得爲從先病而後逆者治其本先

逆而後病者治其本先寒而後生病者治其本先病而後生寒者治其本先熱而後生病者治其本先熱而後生中滿者治其標先病而後泄者治其本先泄而後生他病者治其本必且調之乃治其他病先病而後生中滿者治其標先中滿而後煩心者治其本人有客氣有同氣新校正云按全元起本同作固小大不利治其標小大利治其本本先病標後病必謹察之病發而有餘本而標之先治其本後治其標病

發而不足標而本之先治其標後治其本

本而標之謂有先病復有後病也以其有餘故先治其本後治其標也標而本之謂先發輕微緩者後發重大急者以其不足故先治其標後治其本也

謹察間甚以意調之

間謂多也甚謂少也多謂多形證而輕易少謂少形證而重難也以意調之謂審量標本不足有餘非謂捨法而以意妄爲調之也

間者并行甚者獨行先小大不利而後生病者治其本

并謂他脉共受邪氣而合病也獨爲一經受病而無異氣相參也并甚則相傳傳急則亦死

夫病傳者心病先心痛

藏真通於心故心先痛

一日而欬

心火勝金傳於肺也肺在變動爲欬故爾

三日脇支痛

肺金勝木傳於肝也以其脉循脇肋故如是

五日閉塞不通身痛體重

肝木勝土傳於脾也脾性安鎮木氣乘之故閉塞不通身痛體重

三日不已死

以勝相伐唯弱是從五藏四傷豈其能久故爲即死

冬夜半夏日中

謂正子午之時也或言冬夏有異非也晝夜之半事甚昭然○新校正云按靈樞經大氣入藏病先發於心一日而之肺三日而之肝五日而之脾三日不已死冬夜半夏日日中甲乙經曰病先發於心心痛一日之肺而欬三日之肝脇支痛五日之脾閉塞不通身痛體重三日不已死冬夜半夏日中詳素問言其病靈樞言其藏甲乙經乃并素問靈樞二經之文而病與藏兼舉之

肺病喘欬

藏真高於肺而主息故喘欬

三日而脇支滿痛

肺傳於肝

一日身重體痛

肝傳於脾

五日而脹

自傳於府

十日不已死冬日入夏日出

孟冬之中日入於申之八刻二分仲冬之中日入於申之七刻三分季冬之中日入於申與孟月等孟夏之中日出於寅之八刻一分仲夏之中日出於寅之七刻三分季夏之中日出於寅與孟月等也

肝病頭目眩脇支滿

藏眞散於肝脉內連目脇故如是

三日體重身痛

肝傳於脾

五日而脹

自傳於府

三日腰脊少腹痛脛痠

謂胃傳於腎以其脉起於足循腨內出膕內廉上股內後廉貫脊屬腎絡膀胱故如是也腰爲腎之府故腰痛

三日不已死冬日入

新校正云按甲乙經作日中

夏早食

日入早晏如冬法也早食謂早於食時則卯正之時也

脾病身痛體重藏真濡於脾而主肌肉故爾

一日而脹自傳於府

二日少腹腰脊痛脛痠謂傳於腎

三日背䏚筋痛小便閉自傳於府及之䏚也䏚音呂

十日不已死冬人定夏晏食

人定謂申後二十五刻晏食謂寅後二十五刻

腎病少腹腰脊痛胻痠

藏眞下於腎故如是

三日背䐈筋痛小便閉

自傳於府○新校正云按靈樞經云之䐈膀胱是自傳於府及之䐈也

三日腹脹

膀胱傳於小腸○新校正云按甲乙經云三日上之心心脹

三日兩脇支痛

府傳於藏○新校正云按靈樞經云三日之小腸三日上之心今云兩脇支痛是小腸府傳心藏而發癉也

三日不已死冬大晨夏晏晡

大晨謂寅後九刻大明之時也晏晡謂申後九刻向昏之時也

胃病脹滿

以其脉循腹故如是

五日少腹腰脊痛胻痠

胃傳於腎

三日背䏶筋痛小便閉

自傳於府及之䏶也

五日身體重

膀胱水府傳於脾也○新校正云按靈樞經及甲乙經各云五日上之心是膀胱傳心為

相勝而身體重今王氏言傳脚者誤也

六日不巳死冬夜半後夏日昳

夜半後謂子後八刻丑正時也日昳謂午後八刻未正時也[音]徒結反

膀胱病小便閉

以其爲津液之府故爾

五日少腹脹腰脊痛胻痠

自歸於藏

一日腹脹

腎復傳於小腸

一日身體痛

小腸傳於脾○新校正云按靈樞經云一日上之心是府傳於藏也甲乙經作之脾與王註同

二日不已死冬雞鳴夏下晡

雞鳴謂早雞鳴丑正之分也下晡謂日下於晡時申之後五刻也

諸病以次是相傳如是者皆有死期不可刺

五藏相移皆如此有緩傳者有急傳者緩者或一歲二歲三歲而死其次或三月若六月而死急者一日二日三日四日或五六日而死則此類也尋此病傳之法皆五行之氣考其日數理不相應夫以五行為紀以不勝之數傳於所勝者謂火傳於金當云一日金傳於木當云二日木傳於土當云四日土傳於水當云三日水傳於火當云五日也若以已勝之數傳於不勝者則木三日傳於土土五日傳於水水一日傳於火火二日傳於金金

四日傳於本經之傳日似法三陰三陽之氣玉機真藏論曰五藏相通移皆有次不治三月若六月若三日若六日傳而當死此與同也雖爾猶當臨病詳視日數方悉是非爾

間一藏止新校正云按甲乙經無止字

及至三四藏者乃可刺也間一藏止者謂隔過前一藏而不更傳也則謂木傳土土傳水水傳火火傳金金傳木而止皆間隔一藏也及至三四藏者皆謂至前第三第四藏也諸至三藏者皆是其已不勝之氣也至四藏者皆至已所生之父母也不勝則不能為害於彼所生則父子無剋伐之期氣順以行故刺之可矣

新刊補註釋文黃帝內經素問卷之九

黃帝素問 十

共十四

新刊補註釋文黄帝内經素問卷之十上

○天元紀大論篇第六十六

黄帝問曰天有五行御五位以生寒暑燥濕風人有五藏化五氣以生喜怒思憂恐御謂臨御化謂生化也天真之氣無所不周器象雖殊參應一也○新校正云按陰陽應象大論云喜怒悲憂恐二論不同者思者脾也四藏皆受成焉悲者勝怒也二論所以互相成也論言五運相襲而皆治之終朞之日周而復始余已知之矣願聞其與三陰三陽之候奈何合之

論謂六節藏象論也運謂五行應天之五運各周三百六十五日而爲紀者也故曰終朞之日周而復始也以六合五數未參同故問之也

鬼臾區稽首再拜對曰昭乎哉問也夫五運陰陽者天地之道也萬物之綱紀變化之父母生殺之本始神明之府也可不通乎

道謂化生之道綱紀謂生長化成收藏之綱紀也父母謂萬物形之先也本始謂生殺皆因而有之也夫有形禀氣而不爲五運陰陽之所攝者未之有也所以造化不極能爲萬物生化之元始者何也以其是神明之府故也然合散不測生化無窮非神明運爲無能爾也○新校正云詳陰陽者至神明之府也與陰陽應象大論同而兩論之註頗異

故物生謂之化物極謂之變陰陽不測謂之神

神用無方謂之聖

所謂化變聖神之道也化施化也變散易也神無期也聖無思也氣之施化故曰生氣之散易故曰極無期禀候故曰神無思測量故曰聖由化與變故萬物無能逃五運陰陽由聖與神故衆妙無能出幽玄之理深乎妙用不可得而稱之○新校正云按六微旨大論云物之生從於化物之極由乎變變化之相薄成敗之所由也又五常政大論云氣始而生化氣散而有形氣布而蕃育氣終而象變其致一也

夫變化之爲用也

應萬化之用也

在天爲玄

玄遠也天道玄遠變化無窮傳曰天道遠人道邇

在人爲道

道謂妙用之道也經術政化非道不成

在地爲化

化謂生化也生萬物皆也非土氣孕育則形質不成

化生五味

金石草木根葉華實酸苦甘淡辛醎皆化氣所生隨時而有

道生智

智通妙用唯道所生

玄生神

玄遠幽深故生神也神之爲用觸遇玄通契物化成無不應也

神在天爲風

風者教之始天之使也天之號令也

在地爲木

東方之化

在天爲熱

應火爲用

在地爲火

南方之化

在天爲濕

應土爲用

在地爲土

中央之化

在天爲燥

應金爲用

在地爲金

西方之化

在天爲寒

應水爲用

在地爲水

北方之化神之爲用如上五化木爲風所生火爲熱所熾金爲燥所發水爲寒所資土爲

濕所全盖初因而成立也雖初因之以化成卒因之以敗散爾豈五行之獨有是哉凡因所因而成立者悉因所因而散落爾○新校正云詳在天爲玄至此與陰陽應象大論及五運行大論文重註頗異

故在天爲氣在地成形

氣謂風熱濕燥寒形謂木火土金水

形氣相感而化生萬物矣

此造化生成之大紀

然天地者萬物之上下也

天覆地載上下相臨萬物化生無遺略也由是故萬物自生自長自化自成自盈自虛自復自變也夫變者何謂生之氣極本而更始化也孔子曰曲成萬物而不遺

左右者陰陽之道路也

天有六氣御下地有五行奉上當歲者爲上主司天承歲者爲下主司地不當歲者二氣居右北行轉之二氣居左南行轉之金木水火運北面正之常左爲右右爲左則左者南行右者北行而反也○新校正云詳上下左右之說義具五運行大論中

水火者陰陽之徵兆也

徵信也驗也兆先也以水火之寒熱彰信陰陽之先兆也

金木者生成之終始也

木主發生應春春爲生化之始金主收斂應秋秋爲成實之終終始不息其化常行故萬物生長化成收藏自久○新校正云按陰陽應象大論曰天地者萬物之上下也陰陽者血氣之男女左右者陰陽之道路水火者陰陽之徵兆陰陽者萬物之能始也與此論相

出入也

氣有多少形有盛衰上下相召而損益彰矣

氣有多少謂天之陰陽三等多少不同秩也形有盛衰謂五運之氣有大過不及也由是少多盛衰天地相召而陰陽損益昭然彰著可見也○新校正云詳陰陽三等之義具下文註中

帝曰願聞五運之主時也何如

時四時也

鬼臾區曰五氣運行各終朞日非獨主時也

一運之日終三百六十五日四分度之日乃易之非主一時當其王相囚死而爲紀法也氣交之內迢然而別有之也

帝曰請聞其所謂也鬼臾區曰臣積考太始天元冊文曰

天元冊所以記天眞元氣運行之紀也自神農之世鬼臾區十世祖始誦而行之此太古占候靈文洎乎伏羲之時已鐫諸玉版命曰冊文太古靈文故命曰太始天元冊也○新校正云詳今世有天元玉冊或者以謂即此太始天元冊文非是鐫子泉切

太虛寥廓肇基化元

太虛謂空玄之境眞氣之所充神明之宫府也眞氣精微無遠不至故能爲生化之本始運氣之眞元矣肇始也基本也

萬物資始五運終天

五運謂木火土金水運也終天謂一歲三百六十五日四分度之一也終始更代周而復

始也言五運更統於大虛四時隨部而遷復六氣分居而異主萬物因之以化生非曰自然其誰能始故曰萬物資始易曰大哉乾元萬物資始乃統天雲行雨施品物流形孔子曰天何言哉四時行焉百物生焉此其義也

布氣眞靈總統坤元

大虛眞氣無所不至也氣齊生有故稟氣含靈者抱眞氣以生焉總統坤元言天元氣常司地氣化生之道也易曰至哉坤元萬物資生乃順承天也

九星懸朗七曜周旋

九星上古之時也上古世質人淳歸眞返朴九星懸朗五運齊宣中古道德稍衰標星藏曜故計星之見者七焉九星謂天蓬天內天衝天輔天禽天心天任天柱天英此蓋從標而爲始遁甲式法今猶用焉七曜謂日月五星今外蕃多以此曆爲舉動吉凶之信也周

謂周天之度旋謂左循天度而行五
星之行猶各有進退高下小大矣

曰陽曰陰曰柔曰剛

陰陽天道也柔剛地道也天以陽生陰長地
以柔化剛成也易曰立天之道曰陰與陽立
地之道曰柔與
剛此之謂也

幽顯既位寒暑弛長

幽顯既位言人神各得其序寒暑弛長言陰
陽不失其宜也人神各守所居無相干犯陰
陽不失其序物得其宜天地之道且然人神
之理亦猶也○新校正云按至眞要大論云
幽明何如岐伯曰兩陰交盡故曰幽兩
陽合明故曰明幽明之配寒暑之異也

生生化化品物咸章

上生謂生之有情有識之類也下生謂生之
無情無識之類也上化謂形容彰顯皆也下

化謂蔽匿形容者也有情有識彰顯形容天氣主之無情無識蔽匿形質地氣主稟元靈氣之所化育爾易曰天地絪緼萬物化醇斯之謂歟

臣斯十世此之謂也

傳習斯文至鬼臾區十世于兹不敢失墜

帝曰善何謂氣有多少形有盛衰鬼臾區曰陰陽之氣各有多少故曰三陰三陽也

由氣有多少故隨其升降分爲二別也○新校正云按至真要大論云陰陽之三也何謂岐伯曰氣有多少異用王氷云大陰爲正陰大陽爲正陽次少者爲少陰次少者爲少陽又次爲陽明又次爲厥陰

形有盛衰謂五行之治各有大過不及也

大過有餘也不及不足也氣至不足太過迎之氣至大過不足隨之天地之氣虧盈如此故云形有盛衰也

故其始也有餘而往不足隨之不足而往有餘從之知迎知隨氣可與期

言虧盈無常互有勝負爾始謂甲子歲也六微旨大論曰天氣始於甲地氣始於子子甲相合命曰歲立此之謂也則始甲子之歲三百六十五日所禀之氣當不足也次而推之終六甲也故有餘已則不足不足已則有餘之亦有歲運非有餘非不足者蓋以同天地之化也若餘已復餘少已復少則天地之道變常而災害作苛疾生矣○新校正云按六微旨大論云木運臨卯火運臨午土運臨四季金運臨酉水運臨子所謂歲會氣之平也又按五常政大論云委和之紀上角與正角同上商與正商同上宮與正宮同伏明之紀上

商與正商同甲監之紀上宮與正宮同上角與正角同從革之紀上商與正商同上角與正角同涸流之紀上宮與正宮同赫曦之紀上羽與正徵同堅成之紀上徵與正商同又六元正紀大論云不及而加同歲會已前諸歲並爲正歲氣之平也今王註以同天之化爲非有餘不足者非也

應天爲天符承歲爲歲直三合爲治

應天謂木運之歲上見厥陰火運之歲上見少陽少陰土運之歲上見太陰金運之歲上見陽明水運之歲上見太陽此五者天氣下降如合符運故曰應天爲天符也承歲謂木運之歲歲當亥卯火運之歲歲當寅午土運之歲歲當辰戌丑未金運之歲歲當巳酉水運之歲歲當申子此五者歲之所直故曰承歲爲歲直也三合謂火運之歲上見少陰年辰臨午土運之歲上見太陰年辰臨丑未金運之歲上見陽明年辰臨酉此三者天氣運

氣與年辰俱會故云三合爲治也歲直亦曰歲位三合亦爲天符六微旨大論曰天符歲會曰太一天符謂天運與歲俱會也○新校正云按天符歲會之詳具六微旨大論中又詳火運上少陰年辰臨午即戊午歲也土運上太陰年辰臨丑未即己丑己未歲也金運上陽明年辰臨酉即乙酉歲也

帝曰上下相召柰何鬼臾區曰寒暑燥濕風火天之陰陽也三陰三陽上奉之

太陽爲寒少陽爲暑陽明爲燥太陰爲濕厥陰爲風少陰爲火皆其元在天故曰天之陰陽也

木火土金水火地之陰陽也生長化收藏下應之

木初氣也火二氣也相火三氣也土四氣也金五氣也水終氣也以其在地應天故云下應也氣在地故曰地地之陰陽也○新校正云按六微旨大論曰地理之應六節氣位何如岐伯曰顯明之右君火之位退行一步相火治之復行一步土氣治之復行一步金氣治之復行一步水氣治之復行一步木氣治之此即木火土金水火地之陰陽之義也

天以陽生陰長地以陽殺陰藏

生長者天之道藏殺者地之道天陽主生故以陽生陰長地陰主殺故以陽殺陰藏天地雖高下不同而各有陰陽之運用也○新校正云詳此經與陰陽應象大論文重註頗異

天有陰陽地亦有陰陽

天有陰故能下降地有陽故能上騰是以各有陰陽也陰陽交泰故化變由之成也

木火土金水火地之陰陽也生長化收藏故陽

中有陰陰中有陽

陰陽之氣極則過亢故各兼之陰陽應象大論曰寒極生熱熱極生寒又曰重陰必陽重陽必陰言氣極則變也故陽中兼陰陰中兼陽易之卦離中虛坎中滿此其義象也

所以欲知天地之陰陽者應天之氣動而不息故五歲而右遷應地之氣靜而守位故六朞而環會

天有六氣地有五位天以六氣臨地地以五位承天蓋以天氣不加君火故也以六加五則五歲而餘一氣故遷一位若以五承六則常六歲乃備盡天元之氣故六年而環會所謂周而復始也地氣左行往而不返天氣東轉常自火運數五歲已其次氣正當君火之上法不加臨則右遷君火氣上以臨相火之上故曰五歲而右遷也由斯動靜上下相臨

而天地萬物之情變化之機可見矣

動靜相召上下相臨陰陽相錯而變由生也

天地之道變化之微其由是矣孔子曰天地設位而易行乎其中此之謂也○新校正云按五運行大論云上下相遘寒暑相臨氣相得則和不相得則病又云上者右行下者左行左右周天餘而復會

帝曰上下周紀其有數乎鬼臾區曰天以六爲節地以五爲制周天氣者六朞爲一備終地紀者五歲爲一周

六節謂六氣之分五制謂五位之分位應一歲氣統一年故五歲爲一周六年爲一備備謂備歷天氣周謂周行地位所以地位六而言五者天氣不臨君火故也

君火以名相火以位

君火在相火之右但立名於君位不立歲氣故天之以氣不偶其氣以行君火之正守位而奉天之命以宣行火令爾以名奉天故曰君火以名守位禀命故曰相火以位

五六相合而七百二十氣為一紀凡三十歲千四百四十氣凡六十歲而為一周不及太過斯皆見矣

曆法一氣十五日因而乘之積七百二十氣即三十年積千四百四十氣即六十年也經云有餘而往不足隨之不足而往有餘從之故六十年中不及太過斯皆見矣○新校正云按六節藏象論云五日謂之候三候謂之氣六氣謂之時四時謂之歲而各從其主治焉五運相襲而皆治之終朞之日周而復始時立布氣如環無端候亦同法故曰不知年

之所加氣之盛衰虛實
之所起不可爲工矣

帝曰夫子之言上終天氣下畢地紀可謂悉矣余願聞而藏之上以治民下以治身使百姓昭著上下和親德澤下流子孫無憂傳之後世無有終時可得聞乎

安不忘危存不忘亡大聖之至教也
求民之瘼恤民之隱大聖之深仁也

鬼臾區曰至數之機迫迮以微其來可見其往可追敬之者昌慢之者亡無道行私必得天殃

謂傳非其人受於情
狹及寄求名利者也

謹奉天道請言眞要

申誓戒於君主乃明言天道至真之要旨也

帝曰：善言始者必會於終，善言近者必知其遠，

數術明著應用不差故遠近於言始終無謬

是則至數極而道不惑，所謂明矣。願夫子推而次之，令有條理，簡而不匱，久而不絕，易用難忘，爲之綱紀，至數之要，願盡聞之。

簡省要也匱乏也久遠也要樞紐也

鬼臾區曰：昭乎哉問！明乎哉道！如鼓之應桴，響之應聲也。

桴鼓椎也響應聲也

臣聞之甲己之歲土運統之乙庚之歲金運統之丙辛之歲水運統之丁壬之歲木運統之戊癸之歲火運統之

太始天地初分之時陰陽析位之際天分五氣地列五行五行定位布政於四方五氣分流散支於十干當是黃氣橫於甲己白氣橫於乙庚黑氣橫於丙辛青氣橫於丁壬赤氣橫於戊癸故甲己應土運乙庚應金運丙辛應水運丁壬應木運戊癸應火運太古聖人望氣以書天冊賢者謹奉以紀天元下論文義備矣○新校正云詳運有太過不及平氣甲庚丙壬戊主太過乙辛丁癸己主不及大法如此取平氣之法其說不一具如諸篇

帝曰其於三陰三陽合之柰何鬼臾區曰子午之歲上見少陰丑未之歲上見大陰寅申之歲

上見少陽卯酉之歲上見陽明辰戌之歲上見大陽巳亥之歲上見厥陰少陰所謂標也厥陰所謂終也

標謂上首也終謂當三甲六甲之終○新校正云詳午未申酉戌亥之歲爲正化正司化令之實子丑寅卯辰巳之歲爲對化對司化令之虛此其大法也

厥陰之上風氣主之少陰之上熱氣主之大陰之上濕氣主之少陽之上相火主之陽明之上燥氣主之大陽之上寒氣主之所謂本也是謂六元

三陰三陽爲標寒暑燥濕風火爲本故云所謂本也天眞元氣分爲六化以統坤元生成

之用徵其應用則六化不同本其所生則正是真元之一氣故曰六元也○新校正云按別本六元作天元

帝曰光乎哉道明乎哉論請著之玉版藏之金匱署曰天元紀

○五運行大論篇第六十七

黃帝坐明堂始正天綱臨觀八極考建五常明堂布政宮也八極八方目極之所也考謂考校建謂建立也五常謂五氣行天地之中者也端居正氣以候天和

請天師而問之曰論言天地之動靜神明爲之紀陰陽之升降寒暑彰其兆

新校正云詳論謂陰陽應象大論及氣交變大論文彼云陰陽之往復寒暑彰其兆

余聞五運之數於夫子夫子之所言正五氣之各主歲耳首甲定運余因論之鬼臾區曰土主甲己金主乙庚水主丙辛木主丁壬火主戊癸子午之上少陰主之丑未之上大陰主之寅申之上少陽主之卯酉之上陽明主之辰戌之上大陽主之巳亥之上厥陰主之不合陰陽其故何也

首甲謂六甲之初則甲子年也

岐伯曰是明道也此天地之陰陽也

上古聖人仰觀天象以正陰陽夫陰陽之道非不昭然而人昧宗元迷其本始則百端疑議從是而生黄帝恐至理真宗便因誣廢慤念黎庶故啓問曰天師知道出從真必非謬謫故對上曰是明道也此天地之陰陽也陰陽法曰甲己合乙庚合丙辛合丁壬合戊癸合蓋取一聖人仰觀天象之義不然則十干之位各在一方徵其離合事亦寥闊嗚呼遠哉百姓日用而不知爾故大上立言曰吾言甚易知甚易行天下莫能知莫能行此其類也○新校正云詳金主乙庚者乙者庚之柔庚者乙之剛大而言之陰與陽小而言之夫與婦是剛柔之事也餘並如此

夫數之可數者人中之陰陽也然所合數之可得者也夫陰陽者數之可十推之可百數之可千推之可萬天地陰陽者不以數推以象之謂

也

言智識褊淺不見源由雖所指彌遠其知彌近得其元始桴鼓非遙

帝曰願聞其所始也岐伯曰昭乎哉問也臣覽太始天元冊文丹天之氣經于牛女戊分黅天之氣經于心尾已分蒼天之氣經于危室柳鬼素天之氣經于亢氐昴畢玄天之氣經于張翼婁胃所謂戊已分者奎壁角軫則天地之門戶也

戊土屬乾己土屬巽遁甲經曰六戊爲天門六己爲地戶晨暮占雨以西北東南義取此雨爲土用濕氣生之故此占焉

夫候之所始道之所生不可不通也帝曰善論言天地者萬物之上下左右者陰陽之道路未知其所謂也

論謂天元紀及陰陽應象論也

岐伯曰所謂上下者歲上下見陰陽之所在也左右者諸上見厥陰左少陰右大陽見少陰左大陰右厥陰見大陰左少陽右少陰見少陽左陽明右大陰見陽明左大陽右少陽見大陽左厥陰右陽明所謂面北而命其位言其見也

面向北而言之也上南也下北也左西也右東也

帝曰何謂下岐伯曰厥陰在上則少陽在下左陽明右太陰少陰在上則陽明在下左太陽右少陽太陰在上則太陽在下左厥陰右陽明少陽在上則厥陰在下左少陰右太陽陽明在上則少陰在下左太陰右厥陰太陽在上則太陰在下左少陽右少陰所謂面南而命其位言其見也

主歲者位在南故面北而言其左右在下者位在北故面南而言其左右也上天位也下地位也面南左東也右西也上下異而左右殊也

上下相遘寒暑相臨氣相得則和不相得則病

木火相臨金水相臨水木相臨火土相臨土金相臨為相得也木土相臨土水相臨水火相臨火金相臨金木相臨為不相得也上臨下為順下臨上為逆亦鬱抑而病生土臨相火君火之類者也

帝曰氣相得而病者何也岐伯曰以下臨上不當位也

六位相臨假令土臨火火臨木木臨水水臨金金臨土皆為以下臨上不當位也父子之義子為下父為上以子臨父不亦逆乎

帝曰動靜何如

言天地之行左右也

岐伯曰上者右行下者左行左右周天餘而復

會也

上天也下地也周天謂天周地五行之位也天垂六氣地布五行天順地而左回地承天而東轉木運之後天氣常餘餘氣不加於君火却退一步加臨相火之上是以每五歲已退一位而右遷故曰左右周天餘而復會會遇也合也言天地之道常五歲畢則以餘氣遷加復與五行座位再相會合而爲歲法也周天謂天周地位非周天之六氣也

帝曰余聞鬼臾區曰應地者靜今夫子乃言下者左行不知其所謂也願聞何以生之乎

詰異也○新校正云按鬼臾區言應地者靜見天元紀大論中

岐伯曰天地動靜五行遷復雖鬼臾區其上候而已猶不能徧明

不能徧明無求備也

夫變化之用天垂象地成形七曜緯虛五行麗地地者所以載生成之形類也虛者所以列應天之精氣也形精之動猶根本之與枝葉也仰觀其象雖遠可知也

觀五星之東轉則地體左行之理昭然可知也麗著也有形之物未有不依據物而得全者也

帝曰地之爲下否乎

言轉不居爲下乎爲否乎

岐伯曰地爲人之下大虛之中者也

言人之所居可謂下矣徵其至理則是大虛之中一物爾易曰坤厚載物德合無疆此之謂也

帝曰：憑乎

言大虛無碍地體何憑而止住憑扶冰反礙音艾

岐伯曰：大氣舉之也

大氣謂造化之氣任持大虛者也所以太虛不屈地久天長者蓋由造化之氣任持之也氣化而變不任持之則大虛之氣亦敗壞矣夫落葉飛空不疾而下為其乘氣故勢不得速焉凡之有形處地之上者皆有生化之氣任持之也然器有大小不同壞有遲速之異及至氣不任持則大小之壞一也

燥以乾之暑以蒸之風以動之濕以潤之寒以

堅之火以溫之故風寒在下燥熱在上濕氣在中火遊行其間寒暑六入故令虛而化生也地體之中凡有六入一曰燥二曰暑三曰風四曰濕五曰寒六曰火受燥故乾性生焉受暑故蒸性生焉受風故動性生焉受濕故潤性生焉受寒故堅性生焉受火故溫性生焉此謂天之六氣也

故燥勝則地乾暑勝則地熱風勝則地動濕勝則地泥寒勝則地裂火勝則地固矣六氣之用

帝曰天地之氣何以候之岐伯曰天地之氣勝復之作不形於診也

言平氣及勝復皆以形證觀察不以診知也

脉法曰天地之變無以脉診此之謂也

天地以氣不以位故不當以脉知之

帝曰間氣何如歧伯曰隨氣所在期於左右

於左右尺寸四部分位承之以知應與不應過與不過也

帝曰期之奈何歧伯曰從其氣則和違其氣則病

謂當沉不沉當浮不浮當濇不濇當鉤不鉤當弦不弦當大不大之類也〇新校正云按至眞要大論云厥陰之至其脉弦少陰之至其脉鉤大陰之至其脉沉少陽之至大而浮陽明之至短而濇大陽之至大而長至而和則平至而甚則病至而反則病至而不至者

病未至而至者病陰陽易者危

不當其位者病見於他位也

迭移其位者病謂左見右脉右見左脉氣差錯故爾

失守其位者危已見於他鄉本宮見賊殺之氣故病危

尺寸反者死子午卯酉四歲有之反謂歲當陰在寸脉而反見於尺歲當陽在尺而脉反見於寸尺寸俱乃謂反也若尺獨然或寸獨然是不應氣非反也

陰陽交者死

寅申亥巳丑未辰戌八年有之交謂歲當陰在右脉反見左歲當陽在左脉反見右左右交見是謂交若左獨然或右獨然是不應氣非交也

先立其年以知其氣左右應見然後乃可以言死生之逆順

經言歲氣備矣○新校正云詳此備六元正紀大論中

帝曰寒暑燥濕風火在人合之奈何其於萬物何以生化

合謂中外相應生謂承化而生化謂成立衆象也

岐伯曰東方生風

東者日之初風者教之始天之使也所以發號施令故生自東方也景霽山昏蒼埃際合崖谷若一巖岫之風也黄白昏埃晚空如堵獨見天垂川澤之風也加以黄黑白埃承下山澤之猛風也

風生木

陽升風鼓草木敷榮故曰風生木也此和氣之生化也若風氣施化則飄揚敷拆其爲變極則木拔草除也運乘丁卯丁丑丁亥丁酉丁未丁巳之歲則風化不足若乘壬申壬午壬辰壬寅壬子壬戌之歲則風化有餘於萬物也〇新校正云詳王註以丁壬分運之有餘不足或皆以丁卯丁亥丁巳壬申壬寅五歲爲天符同天符正歲會非有餘不足爲平木運以王註爲非是不知大統也必欲細分雖除此五歲亦未爲盡下文火土金水運等並同此

木生酸
萬物味酸者皆始自木氣之生化也
酸生肝
酸味入胃生養於肝藏
肝生筋
酸味入肝自肝藏布化生成於筋膜也
筋生心
酸氣榮養筋膜畢已自筋流化乃入於心
其在天爲玄
玄謂玄冥也丑之終東方白寅之初天色反黑太虛皆闇在天爲玄象可見○新校正云

詳在天爲玄至化生氣七句通言六氣五行生化之大法非東方獨有之也而王註玄謂丑之終寅之初天色黑則專言在東方不兼諸方此註未適

在人爲道

正理之道生養之政化也

在地爲化

化生化也有生化而後有萬物萬物無非化氣以生成者

化生五味

金玉土石草木菜果根莖枝葉花殼實核無識之類皆地化生也

道生智

智正知也慮遠也知正則不疑於事慮遠則不涉於危以道處之理符於智靈樞經曰因

靈而處物謂之智

玄生神

神用無方深微莫測迹見形隱物鮮能期之是則玄冥之中神明棲擄隱而不見玄生神明也

化生氣

飛走蚑行鱗介毛倮羽五類變化內屬神機歸爲主味所該然其生禀則異故又曰化生氣也此上七句通言六氣五行生化之大法非獨東方有之也○新校正云按陰陽應象大論及天元紀大論無化生氣一句 倮音畫

神在天爲風

鳴紊啓折風之化也振拉摧拔風之用也歲屬厥陰在上則風化於天厥陰在下則風行

於地

在地爲木長短曲直木之體也幹舉撥發木之用也

在體爲筋維結束絡筋之體也繻縱卷舒筋之用也

在氣爲柔木化宣發風化所行則物體柔耎

在藏爲肝肝有二布葉一小葉如木甲拆之象也各有支絡脉遊中以宣發陽和之氣魂之宮也爲將軍之官謀慮出焉兼丁歲則肝藏及經絡見受邪而爲病也膽府同

其性爲暄

暄温也肝木之性也

其德爲和

敷布和氣於萬物木之德也○新校正云按氣交變大論云其德敷和

其用爲動

風摇而動無風則萬類皆静○新校正云按木之用爲動火太過之政亦爲動蓋木火之主暴速故俱爲動

其色爲蒼

有形之類乘木之化則外色皆見薄青之色今東方之地草木之上色皆蒼遇丁歲則蒼物兼白及黄色不純也

其化爲榮

榮美色也四時之中物見華榮顏色鮮麗者皆木化之所生也○新校正云按氣交變大論云其化生榮

其蟲毛

萬物發生如毛在皮

其政爲散

發散生氣於萬物○新校正云按氣交變大論云其政舒啓詳木之政散平木之政發散木大過之政散土不及之氣散金之用散落木之災散落所以爲散之異有六而散之義唯二一謂發散之散是木之氣也二謂散落之散是金之氣所爲也

其令宣發

陽和之氣舒而散也

其變摧拉

摧拔成者也○新校正云按氣交變大論云其變振發

其眚為隕

隕墜也大風暴起草泯木墜○新校正云按氣交變大論云其災散落【眚】所景反

其味為酸

夫物之化之變而有酸味者皆木氣之所成敗也今東方之野生味多酸

其志為怒

怒直聲也怒所以威物

怒傷肝

凡物之用極皆自傷也
怒發於肝而反傷肝藏

悲勝怒

悲發而怒止勝之信也○新校正云詳五志
悲當爲憂蓋憂傷意悲傷魂故云悲傷怒也

風傷肝

亦猶風之折木也風生於木而反折之用極
而衰○新校正云按陰陽應象大論云風傷
筋

燥勝風

風自木生燥爲金化風餘則制之以燥
肝盛則治之以凉凉清所行金之氣也

酸傷筋

酸寫肝氣寫甚則傷其氣靈樞經曰酸走筋
筋病無多食酸以此爾走筋謂宣行其氣速

疾也氣血肉骨同○新校正云詳註云靈樞經云乃是素問宣明五氣篇論文按甲乙經云以此爲素問王註云靈樞經者誤

辛勝酸

辛金味故勝木之酸酸餘故勝之以辛也

南方生熱

陽盛所生相火君火之政也太虛昏翳其若輕塵山川悉然熱之氣也大明不彰其色如丹鬱熱之氣也若形雲暴升嵸然葉積作盈作縮崖谷之熱也

熱生火

熱甚之氣火運盛明故曰熱生火火者盛陽之生化也熱氣施化則炎暑鬱燠其爲變極則燔灼銷融運乘癸酉癸未癸巳癸卯癸丑癸亥歲則熱化不足若乘戊辰戊寅戊子戊

戊戌申戊午歲則熱化有餘火有君火相火故曰熱生火又云火也

火生苦

物之味苦者皆始自火之生化也甘物遇火體焦則苦苦從火化其可徵也

苦生心

苦物入胃化入於心故諸癸歲則苦化少諸戊歲則苦化多

心生血

苦味自心化已則布化生血脉

血生脾

苦味營血已自血流化生養脾也

其在天爲熱

亦神化氣也暄暑欝蒸熱之化也炎赫沸騰熱之用也歲屬少陰少陽在上則熱化於天在下則熱行於地也

在地為火

光顯炳明火之體也燔燎焦然火之用也

在體為脉

流行血氣脉之體也壅泄虛實脉之用也絡脉同

在氣為息

息長也

在藏為心

心形如未敷蓮花中有九空以導引天真之氣神之宇也為君主之官神明出焉乘癸歲

則心與經絡受邪而爲病小腸府亦然

其性爲暑

暑熱也心之氣性也

其德爲顯

明顯見象定而可取火之德也○新校正云按氣交變大論云其德彰顯

其用爲躁

火性躁動不專定也

其色爲赤

生化之物乘火化者悉表備赬丹之色今南方之地草木之上皆兼赤色乘癸歲則赤色之物兼黑及白也

其化爲茂

茂蕃盛也○新校正云按氣交變大論云其化蕃茂

其蟲羽

參差長短象火之形

其政爲明

明曜彰見無所蔽匿火之政也○新校正云按氣交變大論云其政明曜又按火之政明水之氣明水火異而明同者火之明明于外水之明明于內明雖同而實異也

其令鬱蒸

鬱盛也蒸熱也言盛熱氣如蒸也○新校正云詳註謂鬱爲盛其義未安按王冰註五常政大論云鬱謂鬱燠不舒暢也當如此解也

其變炎爍

熱甚炎赫爍石流金火之極變也〇新校正云按氣交變大論云其變銷爍

其眚燔焫

燔焫山川旋及屋宇火之災也〇新校正云按氣交變大論云其災燔焫〔音〕所景反

其味爲苦

物之化之變而有苦味者皆火氣之所合散也今南方之野生物多苦

其志爲喜

喜悅樂也悅以和志

喜傷心

言其過也喜發於心而反傷心亦由風之折木也過則氣竭故見傷也

恐勝喜

恐至則喜樂皆泯勝喜之理目擊道存恐則水之氣也

熱傷氣

天熱則氣伏不見人熱則氣促喘急熱之傷氣理亦可徵此皆謂大熱也小熱之氣猶生諸氣也陰陽應象大論云壯火散氣少火生氣此其義也

寒勝熱

寒勝則熱退陰盛則陽衰制熱以寒是求勝也

苦傷氣

大凡如此爾苦之傷氣以其燥也若加以熱則傷尤甚也何以明之飲酒氣促多則喘急此其信也苦寒之物偏服歲久益火滋甚亦傷氣也暫以方治乃同少火反生氣也○新

校正云詳此論所傷之旨有三東方曰風傷肝酸傷筋中央曰濕傷肉甘傷脾西方曰辛傷皮毛是自傷者也南方曰熱傷氣苦傷氣北方曰寒傷血鹹傷血是傷己所勝也西方曰熱傷皮毛是被勝傷己也凡此五方所傷之例有三若大素則俱云自傷焉

鹹勝苦

酒得鹽而解物理昭然火苦之勝制以水鹹

中央生濕

中央土也高山土濕泉出地中水源山隈雲生巖谷則其象也夫性內蘊動而爲用則雨降雲騰中央生濕不遠信矣故歷候記土潤溽暑於六月謂是也（溽）音辱

濕生土

濕氣內蘊土體乃全濕則土生乾則土死死則庶類凋喪生則萬物滋榮此濕氣之化爾

濕氣施化則土宅而雲騰雨降其爲變極則驟注土崩也運乘己巳己卯己丑己亥己酉己未之歲則濕化不足乘甲子甲戌甲申甲午甲辰甲寅之歲則濕化有餘也

土生甘

物之味甘者皆始自土之生化也

甘生脾

甘物入胃先入於脾故諸己歲則甘少化諸甲歲甘多化

脾生肉

甘味入脾自脾藏布化長生脂肉

肉生肺

甘氣營肉已自肉流化乃生養肺藏也

其在天爲濕

言神化也柔潤重澤濕之化也埃鬱雲雨濕之用也歲屬大陰在上則濕化於天大陰在下則濕化於地

在地爲土

敦靜安鎮聚散復形群品以生土之體也含垢匿穢靜而下民爲變化母土之德也〇新校正云詳註云靜而下民爲土之德下民之義恐字誤也

在體爲肉

覆裹筋骨氣發其間肉之用也跡密不時中外否閉肉之動也

在氣爲充

土氣施化則萬象盈

在藏為脾

形象馬蹄內包胃脘象土形也經絡之氣交歸於中以營運真靈之氣意之舍也為倉廩之官化物出焉兼己歲則脾及經絡受邪而為病○新校正云詳肝心肺腎四藏註各言府同獨此註不言胃府同者闕文也

其性靜兼

兼謂兼寒熱暄涼之氣也白虎通曰脾之為言并也謂四氣并之也

其德為濡

津溫潤澤土之德也○新校正云按氣交變大論云其德溽蒸

其用為化

化謂兼諸四化并己為五化所謂風化熱化燥化寒化化周萬物而為生長化成收藏也

其色爲黄 物稟土化則表見黅黄之色今中央之地草木之上皆兼黄色稟己歲則黄色之物兼蒼及黑者今

其化爲盈 盈滿也土化所及則萬物盈滿○新校正云按氣交變大論云其化豐備

其蟲倮 倮露皮革無毛介也

其政爲謐 謐静也土性安静○新校正云按氣交變大論云其政安静詳土之政謐水大過其政謐者盖水大過而土下承之故其政亦謐

其令雲雨

溼氣布化之所成

其變動注

動反靜也地之動則土失性風搖不安注雨久下也久則垣岸復爲土矣○新校正云按氣交變大論云其變驟注

其眚淫潰

淫久雨也潰土崩潰也○新校正云按氣交變大論云其災霖潰

其味爲甘

物之化之變而有甘味者皆土化之所終始也今中原之地故物味多甘淡

其志爲思

思以成務○新校正云按靈樞經曰因志而存變謂之思

思傷脾

思勞於智過則傷脾

怒勝思

怒則不思忿而忘禍則勝可知矣思甚不解以怒制之調性之道也

濕傷肉

濕甚爲水水盈則腫水下去已形肉已消傷肉之驗近可知矣

風勝濕

風木氣故勝土濕濕甚則制之以風

甘傷脾

過節也。新校正云按陰陽應象大論云甘傷肉

酸勝甘

甘餘則制之以酸所以救脾氣也

西方生燥

陽氣已降陰氣復升氣爽風勁故生燥也夫巖谷青埃川原蒼翠烟浮草樹遠望氤氳此金氣所生燥之化也夜起白朦輕如微霧遐邇一色星月皎如此萬物陰成亦金氣所生白露之氣也大虛埃昏氣鬱黃黑視不見遠無風自行從陰之陽如雲如霧此殺氣也亦金氣所生霜之氣也山谷川澤濁昏如霧氣鬱蓬勃慘然戚然咫尺不分此殺氣將用亦金氣所生運之氣也大雨大霖和氣西起雲卷陽曜太虛廓清燥生西方義可徵也若西風大起木偃雲騰是爲燥與濕爭氣不勝也故當復雨然西方雨晴天之常氣假有東風

雨止必有西風復雨因雨而迺自晴觀是之爲則氣有往復動有燥濕變化之象不同其用矣由此則天地之氣以和爲勝暴發奔驟氣所不勝則多爲復也

燥生金

氣勁風切金鳴聲遠燥生之信視聽可知此則燥化能令萬物堅定也燥之施化於物如是其爲變極則天地悽慘肅殺氣行人悉畏之草木凋落運乘乙丑乙卯乙巳乙未乙酉乙亥之歲則燥化不足乘庚子庚寅庚辰庚午庚申庚戌歲則燥化有餘歲氣不同生化異也

金生辛

物之有辛味者皆始自金化之所成

辛生肺

辛物入胃先入於肺故諸乙歲
則辛少化諸庚歲則辛多化

肺生皮毛

辛味入肺自肺藏
布化生養皮毛也

皮毛生腎

辛氣自入皮毛乃流
化生氣入腎藏也

其在天為燥

神化也霧露清勁燥之化也肅殺凋零燥之
用也歲屬陽明在上則燥化於天陽明在下
則燥行
於地

在地爲金

從革堅剛金之體也鋒刃銛利金之
用也○新校正云按别本銛作括

在體爲皮毛

柔翕包裹皮毛之體也
終泄津液皮毛之用也

在氣爲成

物乘金化
則堅成

在藏爲肺

肺之形似人肩二布葉數小葉中有二十四
空行列以分布諸藏清濁之氣主藏魄也爲
相傅之官治節出焉乘乙歲則肺與
經絡受邪而爲病也大腸府亦然

其性爲涼

涼清也肺
之性也

其德爲清

金以清涼爲德化〇新校正云按氣交變大論云其德清潔

其用爲固

固堅定也

其色爲白

物兼金化則表彰縞素之色今西方之野草木之上色皆兼白乘乙歲則白色之物兼赤及蒼也

其化爲斂

斂收也金化流行則物體堅斂〇新校正云按氣交變大論云其化緊斂詳金之化爲斂而木不及之氣亦斂者蓋木不及而金勝之故斂也

其蟲介

介甲也外被介甲金堅之象也

其政爲勁 勁前銳也○新校正云按氣交變大論云其政勁切

其令霧露 凉氣化生

其變肅殺 天地慘悽人所不喜則其氣也

其眚蒼落 青乾而凋落

其味爲辛

夫物之化之變而有辛味者皆金氣之所爲合也今西方之野草木多辛

其志爲憂

憂深慮也思也○新校正云詳王註以憂爲思有害於義按本論思爲脾之志憂爲肺之志是憂非思明矣又靈樞經曰愁憂則閉塞而不行又云愁憂而不解則傷意若是則憂者愁也非思也

憂傷肺

愁憂則氣閉塞而不行肺藏氣故憂傷肺

喜勝憂

神悅則喜故喜勝憂

熱傷皮毛

火有二別故此再舉熱傷之形證也火氣薄爍則物焦乾故熱氣盛則皮毛傷

寒勝熱

以禦消陽故寒勝熱○新校正云按太素作燥傷皮毛熱勝燥

辛傷皮毛

過節也辛熱又甚焉

苦勝辛

苦火味故勝金之辛

北方生寒

陽氣伏陰氣升政布而大行故寒生也大虛澄淨黑氣浮空天色黯然高空之寒氣也若氣似散麻本末皆黑微見川澤之寒氣也太虛清白空浮雪映遐邇一色山谷之寒氣也

大虛白氣昏火明不翳如霧雨氣遐邇肅然北望色玄凝霧夜落此水氣所生寒之化也大虛凝陰白埃昏翳天地一色遠視不分此寒濕凝結雪之將至也地裂水冰河渠乾涸枯澤浮鹹木斂土堅是土勝水冰不得自清水所生寒之用也

寒生水

寒資陰化水所由生此寒氣之生化爾寒氣施化則水冰雪霧其爲變極則水涸冰堅運乘丙寅丙子丙戌丙申丙午丙辰之歲則寒氣大行乘辛未辛巳辛卯辛丑辛亥辛酉之歲則寒化少

水生鹹

物之有鹹味者皆始自水化之所成結也水澤枯涸鹵鹹乃蕃滄海味鹹鹽從水化則鹹因水產其事炳然煎水味鹹近而可見

鹹生腎

鹹物入胃先歸於腎故諸丙歲鹹物多化諸辛歲鹹物少化

腎生骨髓

鹹味入腎自腎藏和氣生養骨髓

髓生肝

鹹氣自生骨髓乃流化生氣入肝藏也

其在天爲寒

神化也凝慘冰雪寒之化也凜冽霜雹寒之用也歲屬大陽在上則寒化於天大陽在下則寒行於地

在地爲水

陰氣布化流於地中則爲水泉澄澈流衍水之體也漂蕩沒溺水之用也

在體爲骨

強幹堅勁骨之體也包裹髓腦骨之用也

在氣爲堅

柔耎之物遇寒則堅寒之化也

在藏爲腎

腎藏有二形如紅豆相並而曲附於膂筋外有脂裹裹白表黑主藏精也爲作強之官伎巧出焉稟辛歲則腎藏及經絡受邪而爲病膀胱府同

其性爲凜

凜寒也腎之性也

其德爲寒水以寒爲德化○新校正云按氣交變大論云其德淒滄

其用爲本闕

其色爲黑物稟水成則表被玄黑之色今北方之野草木之上色皆兼黑兼辛歲則黑色之物兼黃及赤

其化爲肅肅靜也○新校正云按氣交變大論云其化清謐詳水之化爲肅而金之政大過者爲肅平金之政勁肅金之變肅殺者何也蓋水之化肅者靜也金之政肅者肅殺也文雖同而

事異

其蟲鱗

鱗謂魚鮀之族類

其政爲静

水性澄澈而清静○新校正云按氣交變大論云其政凝肅詳水之政爲静而平土之政安静土大過之政亦爲静土不及之政亦爲静定水土異而静同者非同也水之静清淨也土之静安静也

其令

本闕

其變凝冽

寒甚故致是○新校正云按氣交變大論云其變凛冽

其眚冰雹 非時而有及暴過也○新校正云按氣交變大論云其災氷雪霜雹

其味爲鹹 夫物之化之變而有鹹味者皆水化之所凝散也今北方川澤地多鹹鹵

其志爲恐 恐以遠禍

恐傷腎 恐甚動中則傷腎靈樞經曰恐懼而不解則傷精腎藏精故精傷而傷及於腎

思勝恐

思見禍機故無憂恐思一作憂非也

寒傷血

腎勝心也寒甚血凝故傷血也

燥勝寒

寒化則水積燥用則物堅燥與寒氣故相勝也天地之化物理之常也

鹹傷血

味過於鹹則咽乾引飲傷血之義斷可知乎

甘勝鹹

渴飲甘泉咽乾自已甘爲土味故勝水鹹○新校正云詳自上歧伯曰至此與陰陽應象大論同小有增損而註頗異

五氣更立各有所先當其歲時氣乃先也

非其位則邪當其位則正先立運然後知非位與當位者也

帝曰病之生變何如歧伯曰氣相得則微不相得則甚木居火位火居土位土居金位金居水位水居木位木居君位如是者爲相得又木居水位水居金位金居土位土居火位火居木位如是者雖爲相得終以子僭居父母之位下凌上犯爲小逆也木居金土位火居金水位土居水木位金居火木位水居火土位如是者爲不相得故病甚也皆先立運氣及司天之氣則氣之所在相得與不相得可知矣

帝曰主歲何如岐伯曰氣有餘則制己所勝而侮所不勝其不及則己所不勝侮而乘之己所勝輕而侮之木餘則制土輕忽於金以金氣不爭故木恃其餘而欺侮也又木少金勝土反侮木以木不及故土妄凌之也四氣卒同侮謂侮慢而凌忽之

侮反受邪或以己強盛或遇彼衰微不度卑弱妄行凌忽雖侮而求勝故終必受邪

侮而受邪寡於畏也受邪各謂受己所不勝之邪也然捨己宮觀適他鄉邦外強中乾邪勝真弱寡於敬畏由是納邪故曰寡於畏也○新校正云按六節藏象論云未至而至此謂大過則薄所不勝

而乘所勝命曰氣淫至而不至此謂不及則所勝妄行而所生受病所不勝而薄之命曰氣迫即此之義也

帝曰善

○六微旨大論篇第六十八

黃帝問曰嗚呼遠哉天之道也如迎浮雲若視深淵視深淵尚可測迎浮雲莫知其極深淵淨瑩而澄澈故視之可測其深淺浮雲飄泊而合散故迎之莫詣其邊涯言蒼天之象如淵可視乎鱗介運化之道浮雲莫測其去留六氣深微其於運化當如是喻矣○新校正云詳此文與疏五過論重

夫子數言謹奉天道余聞而藏之心私異之不

知其所謂也願夫子溢志盡言其事令終不滅久而不絕天之道可得聞乎運化生成之道也

岐伯稽首再拜對曰明乎哉問天之道也此因天之序盛衰之時也帝曰願聞天道六六之節盛衰何也六六之節經已啓問天師未敷其旨故重問之

岐伯曰上下有位左右有紀上下謂司天地之氣二也餘左右四氣在歲之左右也

故少陽之右陽明治之陽明之右太陽治之太

陽之右厥陰治之厥陰之右少陰治之少陰之右大陰治之大陰之右少陽治之此所謂氣之標盖南面而待之也標末也聖人南面而立以閲氣之至也故曰因天之序盛衰之時移光定位正立而待之此之謂也移光謂日移光定位謂面南觀氣正立觀歲數氣之至則氣可待之也

少陽之上火氣治之中見厥陰少陽南方火故上見火氣治之與厥陰合故中見厥陰也

陽明之上燥氣治之中見大陰

陽明西方金故上燥氣治之與太陰合故燥氣之下中見大陰也

大陽之上寒氣治之中見少陰

大陽北方水故上寒氣治之與少陰合故寒氣之下中見少陰也○新校正云按六元正紀大論云大陽所至爲寒生中爲温與此義同

厥陰之上風氣治之中見少陽

厥陰東方木故上風氣治之與少陽合故風氣之下中見少陽也

少陰之上熱氣治之中見大陽

少陰東南方君火故上熱氣治之與大陽合故熱氣之下中見大陽也○新校正云按六元正紀大論云少陰所至爲熱生中爲寒與此義同

大陰之上濕氣治之中見陽明

大陰西南方土故上濕氣治之與陽明合故濕氣之下中見陽明也

所謂本也本之下中之見也見之下氣之標也

本謂元氣也氣別爲王則文言著矣○新校正云詳註云文言著矣疑誤

本標不同氣應異象

本者應之元標者病之始病生形用求之標方施其用求之本標本不同求之中見法萬全○新校正云按至真要大論云六氣標本不同氣有從本者有從標本者有不從標本者必陽大陰從本少陰大陽從本從標陽明厥陰不從標本從乎中故從本者化生於本從標本者有標本之化從中者以中氣爲化

帝曰其有至而至有至而不至有至而大過何也

皆謂天之六氣也初之氣起於立春前十五日餘二三四五終氣次至而分治六十日餘八十七刻半

歧伯曰至而至者和至而不至來氣不及也未至而至來氣有餘也

時至而氣至和平之應此爲平歲也假令甲子歲氣有餘於癸亥歲未當至之期先期而至也乙丑歲氣不足於甲子歲當至之期後時而至也故曰來不及來氣有餘也言初氣之至期如此歲氣有餘六氣之至皆先期歲氣不及六氣之至皆後時先時後至後時先至各差十三日而應也○新校正云按金匱要略云有未至而至有至而不至有至而不去有至而大過冬至之後得甲子夜半少陽起少陰之時陽始生天得温和以未得甲子天因温和此爲未至而至也以得甲子而天未温和此爲至而不至以得甲子而天大

寒不解此為至而不去以得甲子而天温如盛夏時此為至而大過此亦論氣應之一端也

帝曰至而不至未至而至何如

言大過不及歲當至晚至早之時應也

岐伯曰應則順否則逆逆則變生變生則病

當期為應愆時為否天地之氣生化不息無止礙也不應有而有應有而不有是造化之氣失常失常則氣變變常則氣血紛撓而為病也天地變而失常則萬物皆病

帝曰善請言其應岐伯曰物生其應也氣脉其應也

物之生榮有常時脉之至有常期有餘歲早不及歲晚皆依時至也

帝曰善願聞地理之應六節氣位何如岐伯曰顯明之右君火之位也君火之右退行一步相火治之

日出謂之顯明則卯地氣分春也自春分後六十日有奇斗建卯正至于巳正君火位也自斗建巳正至未之中三之氣分相火治之所謂少陽也君火之位所謂少陰熱之分也天度至此暄淑大行居熱之分不行炎暑君之德也少陽居之為僭逆大熱早行疫癘適生陽明居之為溫涼不時大陽居之為寒雨間熱厥陰居之為風濕雨生羽虫少陰居之為天下疵疫以其得位君令宣行故也大陰居之為時雨火有二位故以君火為六氣之始也相火則夏至日前後各三十日也少陽之分火之位矣天度至此炎熱大行少陽居之為熱暴至草萎河乾炎亢濕化晚布陽明居之為涼氣間發大陽居之為寒氣間至熱爭

冰雹厥陰居之爲風熱大行雨生羽虫少陰居之爲大暑炎亢大陰居之爲雲雨雷電退謂南面視之在位之右也一步凡六十日又八十七刻半餘氣同法

復行一步土氣治之

濕之分也即秋分前六十日而有奇斗建未正至酉之中四之氣也天度至此雲雨大行濕蒸乃作少陽居之爲炎熱沸騰雲雨雷雹陽明居之爲清雨霧露大陽居之爲寒雨害物厥陰居之爲暴風雨摧拉雨生倮虫少陰居之爲寒熱氣及用山澤浮雲暴雨溽蒸大陰居之爲大雨霪霔【釋音】音淫

復行一步金氣治之

燥之分也即秋分後六十日而有奇自斗建酉正至亥之中五之氣也天度至此萬物皆燥少陽居之爲溫清更正萬物乃榮陽明居之爲大涼燥疾大陽居之爲早寒厥陰居之

爲凉風大行雨生介虫少陰居之爲秋
濕熱病時行大陰居之爲時雨沉陰

復行一步水氣治之

寒之分也即冬至日前後各三十日自斗建
亥正至丑之中六之氣也天度至此寒氣大
行少陽居之爲冬溫蟄虫不藏流水不氷陽
明居之爲燥寒勁切大陽居之爲大寒凝冽
厥陰居之爲寒風飄揚雨生鱗虫少陰居之
爲蟄虫出見流水不氷大陰居之爲凝陰寒
雪地氣
濕也

復行一步木氣治之

風之分也即春分前六十日而有奇也自斗
建丑正至卯之中初之氣也天度至此風氣
乃行天地神明號令之始也天之使也少陽
居之爲溫疫至陽明居之爲清風霧露朦昧
大陽居之爲寒風切冽霜雪水氷厥陰居之
爲大風發榮雨生毛虫少陰居之爲熱風傷

人時氣流行大陰居之爲風雨凝陰不散

復行一步君火治之

熱之分也復春分始也自斗建卯正至巳之中二之氣也九此六位終統一年六六三百六十日八四百八十刻六七四十二刻其餘半刻分而爲三約終三百六十五度也餘奇細分率之可也

相火之下水氣承之

熱盛水承條蔓柔弱湊潤衍溢水象可見○新校正云按六元正紀大論云少陽所至爲火生終爲蒸溽則水承之義可見又云少陽所至爲飄風燔燎霜凝亦下承之水氣也

水位之下土氣承之

寒甚物堅水冰流涸土象斯見承下明矣○新校正云按六元正紀大論註云大陽所至

爲寒雪氷雹白埃則土氣承之之義也

土位之下風氣承之

疾風之後時雨乃零是則濕爲風吹化而爲雨○新校正云按六元正紀大論云大陰所至爲濕生終爲注雨則土位之下風氣承之而爲雨也又云太陰所至爲雷霆驟注烈風則風承之義也

風位之下金氣承之

風動氣淸萬物皆燥金承木下其象昭然○新校正云按六元正紀大論云厥陰所至爲風生終爲肅則金承之義可見又云厥陰所至爲飄怒大涼亦金承之義

金位之下火氣承之

鍛金生熱則火流金乘火之上理無妄也○新校正云按六元正紀大論云陽明所至爲

散落溫則火承之義也

君火之下陰精承之

君火之位大熱不行蓋爲陰精制承其下也諸以所勝之氣乘於下者皆折其慓盛此天地造化之大體爾○新校正云按六元正紀大論云少陰所至爲熱生中爲寒則陰承之義可知又云少陰所至爲大暄寒亦其義也又按六元正紀云水發而雹雪土發而飄驟木發而毀折金發而清明火發而曛昧何氣使然曰氣有多少發有微甚微者當其氣甚者兼其下徵其下氣而見可知也所謂徵其下者即此六承氣也

帝曰何也岐伯曰亢則害承迺制制生則化外列盛衰害則敗亂生化大病

亢過極也物惡其極

帝曰：盛衰何如？岐伯曰：非其位則邪，當其位則正，邪則變甚，正則微。帝曰：何謂當位？岐伯曰：木運臨卯，火運臨午，土運臨四季，金運臨酉，水運臨子，所謂歲會，氣之平也。非大過非不及，是謂平運主歲也。平歲之氣，物生脉應，皆必合期，無先後也。○新校正云：詳木運臨卯，丁卯歲也；火運臨午，戊午歲也；土運臨四季，甲辰、甲戌、己丑、己未歲也；金運臨酉，乙酉歲也；水運臨子，丙子歲也。內戊午、己丑、己未、乙酉，又爲太一天符。

帝曰：非位何如？岐伯曰：歲不與會也。不與本辰相逢會也。

帝曰：土運之歲，上見大陰；火運之歲，上見少陽

少陰

少陰少陽皆火氣

金運之歲上見陽明木運之歲上見厥陰水運之歲上見大陽柰何岐伯曰天之與會也

天氣與運氣相逢會也○新校正云詳土運之歲上見大陰己丑己未也火運之歲上見少陽戊寅戊申也上見少陰戊子戊午也金運之歲上見陽明乙卯乙酉也木運之歲上見厥陰丁巳丁亥也水運之歲上見大陽丙辰丙戌也內己酉己未戊午乙酉又爲太一天符按大元正紀大論云大過而同天化者三不及而同天化者亦三戊子戊午大徵上臨少陰戊寅戊申大徵上臨少陽丙辰丙戌大羽上臨大陽如是者三丁巳丁亥少角上臨厥陰乙卯乙酉少商上臨陽明己丑己未少宮上臨大陰如是者三臨者大過不及皆

曰天符也

故天元冊曰天符帝曰天符歲會何如岐伯曰太一天符之會也

是謂三合一者天會二者歲會三者運會也天元紀大論曰三合爲治此之謂也○新校正云按大一天符之詳具天元紀大論註中

帝曰其貴賤何如岐伯曰天符爲執法歲位爲行令大一天符爲貴人

執法猶相輔行令猶方伯貴人猶君主

帝曰邪之中也柰何岐伯曰中執法者其病速而危

執法官人之繩準自為邪僻故病速而危

中行令者其病徐而持

方伯無執法之權故無速害病但執持而已

中貴人者其病暴而死

義無凌犯故病則暴而死

帝曰位之易也何如岐伯曰君位臣則順臣位君則逆逆則其病近其害速順則其病遠其害微所謂二火也

相火居君火是臣位居君位故逆也君火居相火是君位居臣位君臨臣位故順也遠謂里遠近謂里近也

帝曰善願聞其步何如岐伯曰所謂步者六十度而有奇

奇謂八十七刻又十分刻之五也

故二十四步積盈百刻而成日也

此言天度之餘也夫言周天之度者三百六十五度四分度之一也二十四步正四歲也四分度之一二十五刻也四歲氣成積已盈百刻故成一日度一日也

帝曰六氣應五行之變何如岐伯曰位有終始氣有初中上下不同求之亦異也

位地位也氣天氣也氣與位互有差移故氣之初天用事氣之中地主之地主則氣流于地天用則氣騰于天初與中皆分天步而率刻爾初中各三十日餘四十三刻四分刻之

三也

帝曰求之柰何岐伯曰天氣始於甲地氣始於子子甲相合命曰歲立謹候其時氣可與期子甲相合命曰歲立則甲子歲也謹候水刻早晏則六氣悉可與期爾

帝曰願聞其歲六氣始終早晏何如岐伯曰明乎哉問也甲子之歲初之氣天數始於水下一刻常起於平明寅初一刻艮中之南也○新校正云按戊辰壬申丙子庚辰甲申戊子壬辰丙申庚子甲辰戊申壬子丙辰庚申歲同此所謂辰申子歲氣會同陰陽法以是爲三合終於八十七刻半

子正之中夜之半也外十二刻半入二氣之初諸餘刻同入也

二之氣始於八十七刻六分

子中之左也

終於七十五刻

戌之後四刻也外二十五刻入次三氣之初率

三之氣始於七十六刻

亥初之一刻

終於六十二刻半

酉正之中也外三十七刻半差入後

四之氣始於六十二刻六分

酉中之北

終於五十刻

未後之四刻也外五十刻差入後

五之氣始於五十一刻

申初之一刻

終於三十七刻半

午正之中晝之半也外六十二刻半差入後

六之氣始於三十七刻六分

午中之南

終於二十五刻

辰正之後四刻外七十五刻差入後

所謂初六天之數也

天地之數二十四氣乃大會而同歸命此曰初六天數也

乙丑歲初之氣天數始於二十六刻

巳初之一刻〇新校正云按己巳癸酉丁丑辛巳乙酉己丑癸巳丁酉辛丑乙巳己酉癸丑丁巳辛酉歲同所謂巳酉丑歲氣會同也

終於一十二刻半

卯正之中

二之氣始於一十二刻六分

卯中之南

終於水下百刻丑後之四刻

三之氣始於一刻又寅初之一刻

終於八十七刻半子正之中

四之氣始於八十七刻六分子中正東

終於七十五刻戌後之四刻

五之氣始於七十六刻亥初之一刻

終於六十二刻半酉正之中

六之氣始於六十二刻六分酉中之壯

終於五十刻未後之四刻

所謂六二天之數也一六爲初六二爲六二名次也

丙寅歲初之氣天數始於五十一刻申初之一刻○新校正云按庚午甲戌戊寅壬午丙戌庚寅甲午戊戌壬寅丙午庚戌甲寅戊午壬戌歲同此所謂寅午戌歲氣會同

終於三十七刻半午正之中

二之氣始於三十七刻六分午中之酉

終於二十五刻辰後之四刻

三之氣始於二十六刻

巳初之一刻

終於一十二刻半

卯正之中

四之氣始於一十二刻六分

卯中之南

終於水下百刻

丑後之四刻

五之氣始於一刻

寅初之一刻

終於八十七刻半

子正之中

六之氣始於八十七刻六分

子中之左

終於七十五刻

戌後之四刻

所謂六三天之數也丁卯歲初之氣天數始於七十六刻

亥初之一刻○新校正云按辛未乙亥己卯癸未丁亥辛卯乙未己亥癸卯丁未辛亥乙卯己未癸亥歲同此所謂卯未亥歲氣會同

終於六十二刻半

酉正之中

二之氣始於六十二刻六分

酉中之北

終於五十刻

未後之四刻

三之氣始於五十一刻

申初之一刻

終於三十七刻半

午正之中

四之氣始於三十七刻六分

午中之西

終於二十五刻

辰後之四刻

五之氣始於二十六刻

巳初之一刻

終於一十二刻半

卯正之中

六之氣始於一十二刻六分

卯中之南

終於水下百刻

丑後之四刻

所謂六四天之數也次戊辰歲初之氣復始於一刻常如是無已周而復始

始自甲子年終於癸亥歲常以四歲爲一小周一十五周爲一大周以辰命歲則氣可與期

帝曰願聞其歲候何如岐伯曰悉乎哉問也日行一周天氣始於一刻

甲子歲也

日行再周天氣始於二十六刻

乙丑歲也

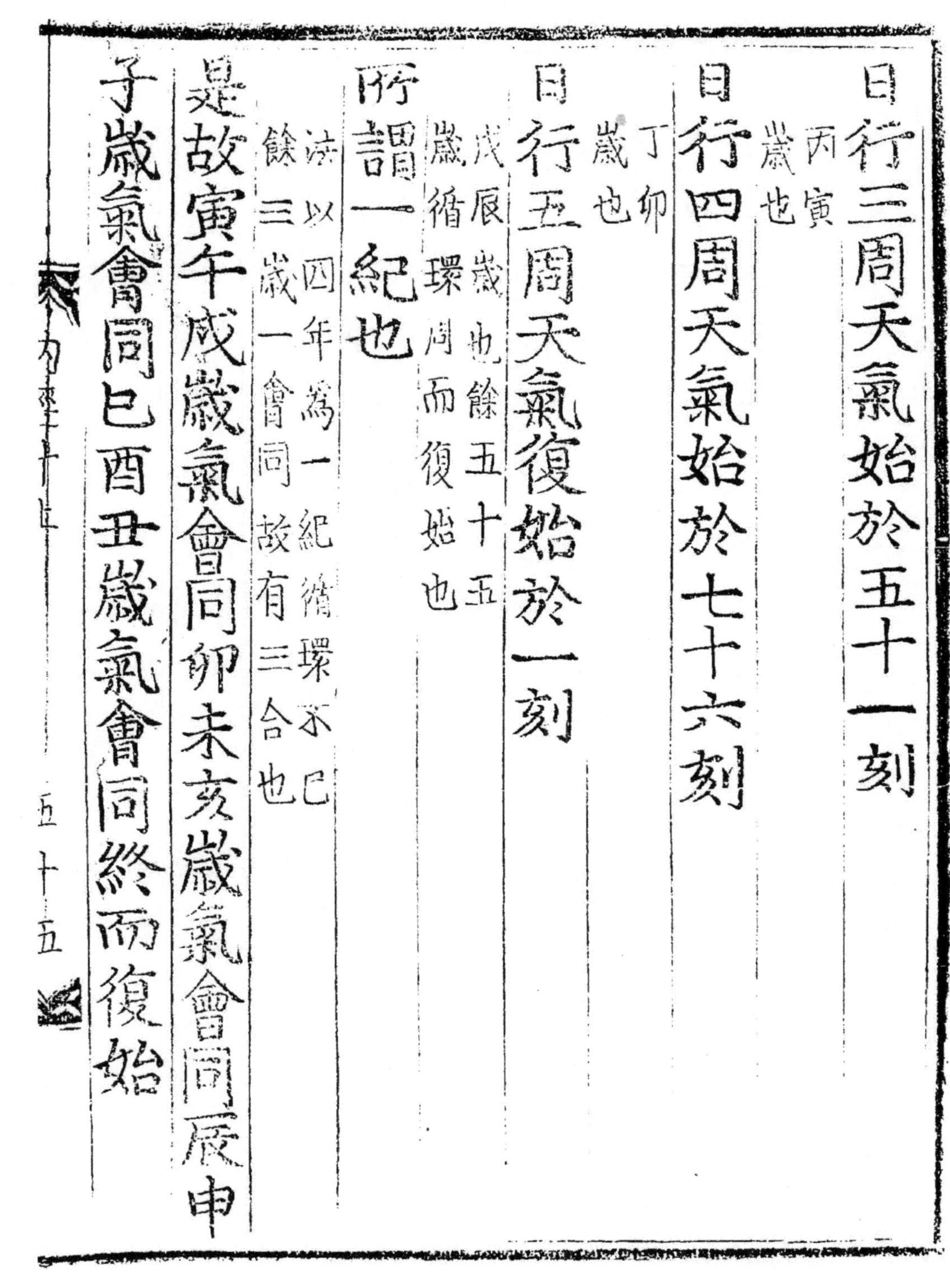

日行三周天氣始於五十一刻丙寅歲也

日行四周天氣始於七十六刻丁卯歲也

日行五周天氣復始於一刻戊辰歲也餘五十五歲循環周而復始也

所謂一紀也注以四年爲一紀循環不已餘三歲一會同故有三合也

是故寅午戌歲氣會同卯未亥歲氣會同辰申子歲氣會同巳酉丑歲氣會同終而復始

陰陽法以是爲三合者緣其氣會同也不爾則各在一方義無由合

帝曰願聞其用也岐伯曰言天者求之本言地者求之位言人者求之氣交

本謂天六氣寒暑燥濕風火也三陰三陽由是生化故云本所謂六元者也位謂金木火土水君火也天地之氣上下相交人之所處也

帝曰何謂氣交岐伯曰上下之位氣交之中人之居也

自天之下地之上則二氣交合之分也人居地上故氣交之中人之居也是以化生變易皆在氣交之中

故曰天樞之上天氣主之天樞之下地氣主之

氣交之分人氣從之萬物由之此之謂也

天樞當齊之兩傍也所謂身半矣伸臂指天則天樞正當身之半也三分析之上分應天下分應地中分應氣交天地之氣交合之際所遇寒暑燥濕風火勝復之變之化故人氣從之萬物生化悉由而合散也

帝曰何謂初中岐伯曰初凡三十度而有奇中氣同法

奇謂三十日餘四十三刻又四十分刻之三十也初中相合則六十日餘八十七刻半也以各餘四十分刻之三十故云中氣同法也

帝曰初中何也岐伯曰所以分天地也

以是知氣高下生人病主之也

帝曰願卒聞之岐伯曰初者地氣也中者天氣也

氣之初天用事天用事則地氣上騰於大虛之內氣之中地氣主之地氣主則天氣下降於有質之中

帝曰其升降何如岐伯曰氣之升降天地之更用也

升謂上升降謂下降升極則降降極則升升降不已故彰天地之更用也

帝曰願聞其用何如岐伯曰升已而降降者謂天降已而升升者謂地

氣之初地氣升氣之中天氣降升已而降以下彰天氣之下流降已而升以上表地氣之

上應天氣下降地氣上騰天地交合泰之象也易曰天地交泰是以天地之氣升降常以三十日半下上下上不已故萬物生化無有休息而各得其所也

天氣下降氣流于地地氣上升氣騰于天故高下相召升降相因而變作矣

氣有勝復故變生也○新校正云按六元正紀大論云天地之氣盈虛何如曰天氣不足地氣隨之地氣不足天氣從之運居其中而常先也惡所不勝歸所和同隨運歸從而生其病也故上勝則天氣降而下下勝則地氣遷而上多少而差其分微者小差甚者大差甚則位易氣交易則大變生而病作矣

帝曰善寒濕相遘燥熱相臨風火相値其有間乎岐伯曰氣有勝復勝復之作有德有化有用

有變變則邪氣居之

夫撫掌成聲沃火生沸物之交合象出其間萬類交合亦由是矣天地交合則八風鼓拆六氣交馳於其間故氣不能正者反成邪氣

帝曰何謂邪乎

邪者不正之目也天地勝復則寒暑燥濕風火六氣互為邪也

岐伯曰夫物之生從於化物之極由乎變變化之相薄成敗之所由也

夫氣之有生化也不見其形不知其情莫測其所起莫究其所止而萬物自生自化近成無極是謂天和見其象彰其動震烈剛暴飄泊驟卒拉堅摧殘摺折鼓慄是謂邪氣故物之生也靜而化成其毀也躁而變革是以生從於化極由乎變變化不息則成敗之由常

在生有涯分者言有終始爾○新校正云按天元紀大論云物生謂之化物極謂之變

故氣有往復用有遲速四者之有而化而變風之來也

天地易位寒暑移方水火易處當動用時氣之遲速往復故不常在雖不可究識意端然微甚之用而爲化爲變風所由來也人氣不勝因而感之故病生焉風匪求勝於人也

帝曰遲速往復風所由生而化而變故因盛衰之變耳成敗倚伏遊乎中何也

夫倚伏者禍福之萌也有禍者福之所倚也有福者禍之所伏也由是故禍福互爲倚伏物盛則衰樂極則哀是福之極故爲禍所倚否極之泰未濟之濟是禍之極故爲福所伏然吉凶成敗目擊道存不可以終自然之理故無尤也

歧伯曰成敗倚伏生乎動動而不已則變作矣
動靜之理氣有常運其微也爲物之化其甚
也爲物之變化流於物故物得之以生變行
於物故物得之以死由是成敗倚伏生於動
之微甚遲速爾豈惟氣獨有是哉人在氣中
養生之道進退之用當皆然也○新校正云
按至真要大論云陰陽之氣清靜則生化治
動則苛疾起
此之謂也

帝曰有期乎歧伯曰不生不化靜之期也
人之期可見者二也天地之期不可見也夫
二可見者一曰生之終也其二曰變易與土
同體然後捨小生化歸於大化以死後猶化
變未已故可見者二也天地終極人壽有分
長短不相及故
人見之者鮮矣

帝曰不生化乎

言亦有不生不化者乎

岐伯曰：出入廢則神機化滅，升降息則氣立孤危。

出入謂喘息也，升降謂化氣也。夫毛羽倮鱗介及飛走蚑行，皆生氣根於身中，以神爲動靜之主，故曰神機也。然金玉土石鎔埏草木，皆生氣根於外，假氣以成立主持，故曰氣立也。五常政大論曰：根于中者，命曰神機，神去則機息；根于外者，命曰氣立，氣止則化絶。此之謂也。故無是四者，則神機與氣立者生死皆絶。○新校正云：按易云：本乎天者親上，本乎地者親下。周禮大宗伯有天産地産，大司徒云動物植物，即此神機氣立之謂也。蚑音祁。

故非出入則無以生長壯老已，非升降則無以

生長化收藏

夫自東自西自南自北者假出入息以為化主因物以全質者之陰陽升降之氣以作生源若非此道則無能致是生者也

是以升降出入無器不有

包藏生氣者皆謂生化之器觸物然矣夫竅横者皆有出入去來之氣竅竪者皆有陰陽升降之氣往復於中何以明之則壁窓戶牖兩面伺之皆承來氣衝擊於人是則出入氣也夫陽升則井寒陰升則水煖以物投井及葉墜空中翩翩不疾皆升氣所礙也虛管溉滿捻上懸之水固不泄為無升氣而不能降也空瓶小口頓溉不入為氣不出而不能入也由是觀之升無所不降無所不升無出則不入無入則不出夫群品之中皆出入升降不失常守而云非化者未之有也有失無失有情無情去出入已升降而云存者未之

有也故曰升降
出入無器不有

故器者生化之宇器散則分之生化息矣

器謂天地及諸身也宇謂屋宇也以其身形包藏府藏受納神靈與天地同故皆名器也諸身者小生化之器宇大虛者廣生化之器宇也生化之器自有小大無不散也夫小大器皆生有涯分散有遠近者也

故無不出入無不升降

真生假立形器者無不有此二者

化有小大期有近遠

近者不見遠謂遠者無涯遠者無常見近而嘆有其涯矣旣近遠不同期合散殊時節即有無交競異見常乖及至分散之時則近遠同歸於一變

四者之有而貴常守

四者謂出入升降也有出入升降則爲常守有出無入有入無出有升無降有降無升則非生之氣也若非胎息道成居常而生則未之有屏出入息泯升降氣而能存其生化者故貴常守

反常則災害至矣

出入升降生化之元主故不可無之反常之道則神去其室生化微絕非災害而何哉

故曰無形無患此之謂也

夫喜於遂悅於色畏於難懼於禍外惡風寒暑濕內繁飢飽愛欲皆以形無所隱故常嬰患累於人間也若便想慕滋蔓嗜欲無厭外附權門內豐情偽則動以牢網坐招燔焫欲思釋縛其可得乎是以身爲患階爾老子曰吾所以有大患者爲吾有身及吾無身吾有

何患此之謂也夫身與形與太虛釋然消散復未知生化之氣爲有而聚耶爲無而滅乎

帝曰善有不生不化乎

言人有逃陰陽免生化而不生不化無始無終同太虛自然者乎

岐伯曰悉乎哉問也與道合同惟眞人也

眞人之身隱見莫測出入天地內外順道至眞以生其爲小也入於無間其爲大也遍於空界不與道如一其孰能厭乎

帝曰善

新刊補註釋文黃帝內經素問卷之十上